Goosebumps™

鸡皮疙瘩

系列丛书

QIANWAN BIE SHUI ZHAO · PACHONG ZHAOJI LING

千万别睡着 ● 爬虫召集令

〔美〕R.L.斯坦 著 叶芊 译

接力出版社
Publishing House

目 录

 千万别睡着

爬虫召集令

"鸡皮疙瘩"预告

欢迎来到"鸡皮疙瘩"俱乐部

致中国读者

中国的读者朋友们，你们好！

听说大家很喜欢我的书，我很开心。

我觉得，要让孩子们认识到他们可以到书里去寻找乐趣，这一点非常重要，并且，我还要让他们接触到惊悚的内容，但同时又有安全感。在这些惊悚的场景里我加入了一些幽默元素，这样小朋友们在开怀大笑的同时又有一点点紧张。

很多小朋友觉得交朋友是件很难的事儿，总是奇怪为什么别的小朋友在这方面好像更加轻松容易。对于腼腆的小朋友们，我的建议就是找到你喜欢做的事儿——不管是写作啦，还是运动啦，或者是玩游戏啦，等等。

做这些事儿，会带来两个益处。首先，你可能会遇到别的和你有同样兴趣的小朋友。其次，如果你真的对什么感兴趣，那么你谈论起来时就会轻松自如。

　　我从来就没停止过和孩子们的交流，我认为重要的是要让孩子们去寻找自己的方式。我提倡小朋友们多读书，找到自己感兴趣的可以轻松自如地谈论的内容。

　　我认为家长和老师倾听孩子的声音非常重要。有些孩子愿意和父母交流自己的感受，但有些却不愿意。有的时候他们虽然在说一些看似无关紧要的事情，但对于他们自己来说却很重要。

　　我希望有机会能来中国，见见大家，参观一下这个充满魅力的国度。我很喜欢龙，我一定会好好构思一个关于龙的精彩故事。

　　到北京看看是我心驰神往的事情。我住在纽约市的中心，但我可以打赌，北京肯定会让人感觉更大——哪怕是对于像我一样习惯了纽约的人来说也是如此。

智者的心灵历险（序一）

首都师范大学教授　著名儿童文学作家、诗人
国际安徒生奖提名奖获得者　金　波

　　人当少年时，智慧大增，却更加渴望心灵历险，愿意体验一下"恐怖"的刺激。那感觉，让我想起坐上"过山车"的游戏，惊险中嗷嗷的呼叫声不绝于耳，既是恐怖的，又是愉悦的。

　　现在提供给广大读者的这套"鸡皮疙瘩系列丛书"，当你阅读的时候，就像搭乘一次心灵历险的"过山车"。

　　少年心理的健康发展，需要一个磨砺过程，生活阅历中的挫折，情感体验中的悲喜，精神世界中的追求，都是人生不可缺少的历程。

　　心理上的"恐怖"也是一种体验，它可以给予我们胆识、睿智、想象力。

　　这套"鸡皮疙瘩系列丛书"，在美国颇受少年儿童的青睐，甚至让那些不爱读书的孩子，也耽读不倦，爱不释

手。因此，1999年，这套丛书曾以27种文字版本出版，全球销售两亿多册，作者R.L.斯坦被评为当年最受欢迎的儿童文学作家。

是的，阅读"鸡皮疙瘩系列丛书"，与我们通常阅读小说、童话以及科幻故事相比较，颇有异趣。书中斑驳陆离的情境，浩瀚恣肆的想象，直抉心灵的震颤，蔚成奇观，参配天地。

阅读"鸡皮疙瘩系列丛书"，感受心灵探险，好奇心得到充分的满足，获得充分的自由、畅快。在想象的世界中，可以我行我素，或走马古老荒原，邂逅精灵小怪，或穿越沼泽湿地，目睹青磷鬼火，或瞻谒古宅废园，发现千古幽灵，尽情享受一番超越现实、脱俗出尘的惊险和快乐。

这里有冥茫混沌中创造出的另一个世界，这个世界中所发生的故事，虽属怪诞，甚至可怖，虽是对不真实或不存在的事物纯乎幻想与游戏性的艺术再现，但它又与我们的现实生活息息相通，就如同发生在我们身边的事情，让你相信那诸多的神灵鬼怪，其实都是摄取于现实生活中实有的人物。

阅读这些故事，随着故事的进展，情感也随之波澜起伏，有壮烈的激情，有缱绻的爱意，也有凄美的伤感。总之，阅读的快感，丰沛而多彩。

阅读这样奇异的故事，经过一场心灵的历险和心理上的恐怖体验，同样会对善与恶、美与丑，或彼或此，有所鉴别，这同样有赖读者的灵性与妙悟。

　　这些故事，打破现实与虚幻、时间与空间的界限，富于魔幻和神秘色彩。我们畅游于这个奇幻的世界，感受着与宇宙万物的冲突、和谐，与古今哲思的交流、契合，与人类的心力才智的感悟、沟通。

　　我们可以和魂灵互致绸缪，可以把怪诞嘘之入梦。我们的精神世界丰盛了，视野开阔了，心理也会为之更加强健。

　　要做一个智者、勇者，就要敢于经历心灵的探险。阅读这套"鸡皮疙瘩系列丛书"，虽然会有坐"过山车"的惊恐，但终将"安全着陆"。那时候，你会津津乐道，回味无穷。

斯坦大叔，请摘下你脸上那副吓人的面具（序二）

著名儿童文学理论家、作家　彭　懿

——等了这么久，R.L.斯坦终于来敲门了。

隔着门缝，我窥见月光下是一个青面獠牙的怪物，是他，戴着面具，他来了，我发现我起了一身的鸡皮疙瘩，体温降到了零度。

这个男人就站在门外。

我战栗起来，我不知道是不是应该开门让这个寒气逼人的男人进来。其实，斯坦不过是一位给孩子们写惊险小说的作家，1943年出生于美国的俄亥俄州，比被誉为"当代惊险小说之王"的斯蒂芬·金还要大上四岁。不到十年的时间，他的"鸡皮疙瘩系列丛书"（Goosebumps）就卖出了一个足以让我们的畅销书作家汗颜的天文数字——2.2亿册！

我战栗什么呢？

我战栗，是因为惊险小说在我们这里还是一大禁忌。不单是我，许多甚至连惊险小说是一个什么概念都搞不清楚的人，只要一听到"恐怖"两个字，就脸色惨白了。我们是怕吓坏了我们的孩子。但我们忘了，几十年前，在一根将熄未熄的蜡烛后面睁大了一双双惊恐的眼睛听鬼故事的，恰恰正是我们自己。

事实上，我们许多人对惊险小说都有一种饥饿感，就连斯蒂芬·金自己都沾沾自喜地说了，不论是谁，拿起一本惊险小说就回归到了孩子。恐怖，原本是人类自诞生以来最原始的一种感情，但到了小说里面，它已经变味了，衍生出了一种娱乐的功能。

我们为何会如饥似渴地去追求这种惊险呢？

恐怕是因为惊险小说或多或少地表达了现代人在潜意识中的某种对日常生活崩溃的不安，而作为它的核心，潜藏在恐怖的背景之下的"神秘"与"未知"，更是满足了人们的好奇心。还有一个重要的理由，就是有光必有影，有了恶，才看得出善。从本质上来说，人是渴望"善"与"光明"的，通常被我们忽略或是遗忘了的这种倾向，在惊险小说的阅读中都被如数找了回来。不是吗，我们不正是在惊险小说里认识到了潜伏在恐怖背后的"恶"与"黑暗"的吗？面对恐怖，我们才重新发现了被深深地尘封在心底的"正义"、"善"和"光明"。

——门外的斯坦等不及了，开始砸门了，他号叫着破门而入。

斯坦的"鸡皮疙瘩系列丛书"可是够吓人的，看看他都给孩子们讲述了一个个什么故事吧——埃文和新结识的女孩艾蒂从一个古怪的商店买回了一罐尘封的魔血。他的爱犬不小心吃了一口，于是它开始变化，那罐魔血也开始膨胀吃人……

斯坦绝对是一个来自魔界的怪物。

作为一个同行，我无法不对斯坦顶礼膜拜，每个月出书两本的斯坦怎么会有那么多诡异的灵感？他在接受《亚特兰大日报》的采访时曾说过一句话："我整天文思泉涌，写得非常顺手……"斯坦从不吝啬自己的灵感，甚至已经到了铺张奢华的地步，这就不能不让我起疑心了，据说他房间里有一副土著人的面具，我怀疑斯坦一定是戴着这副被下了毒咒的面具不知疲倦地写作的。

除了灵感，他的想象力也是无与伦比的。

当然了，还有故事。和斯蒂芬·金一样，斯坦也是一个讲故事的高手，唯一不同的是，斯蒂芬·金是在给大人讲故事，而斯坦是在给孩子讲故事。在我们愈来愈不会讲故事、一连串的短篇就能串起一部十几万字的长篇的今天，斯坦显得实在是太会讲故事了。他从不拖泥带水，一个悬念接着一个悬念，永远出乎你的意料之外。

记忆里，我似乎没有看到过比它们更好看的故事。

——我逃进了过道，斯坦狞笑着在后面紧追不舍。我透不过气来了，我打开一扇壁橱的门钻了进去，我在暗处打量起这个男人来。

像《魔戒》的作者托尔金提出了一个"第二世界"的理论一样，斯坦也为自己量身定做了一个理论：安全惊险。所谓的"安全惊险"，又称之为"过山车理论"，说白了，意思就是你们读我的惊险小说，就像坐过山车一样，虽然坐在上面会发出一阵阵惊叫，但到头来总会安全着陆。斯坦这人也是够世故的了，明眼人一看就知道这套所谓的理论不过是说给那些拒绝让孩子看惊险小说的大人听的，是一块挡箭牌。

尽管斯坦的"过山车理论"多少带了点贼喊捉贼式的心虚，我们还能指责他一两句，但他在惊险小说上的造诣，我们就只有仰视的份儿了。可以这么说，斯坦已经把惊险小说——至少是给孩子看的这一块——发挥到了极致。

第一，斯坦把惊险推向了我们的日常。你去看他的故事好了，它们几乎都发生在一个与你咫尺之遥的地方，就在你身边，主人公与你一样地说"酷"，与你穿一样的耐克鞋，与你拥有一样的偶像、一样的苦恼……这正是现代惊险小说的一大特征。它缩短了与读者之间的距离，使读者与书中那些与自己相似的人物重叠到了一起。只有这样，读者才会不知不觉地对那些来自魔界或另外一个世界的怪物们信以为真，才会共同体验或者说是共同经历一场可怕的恐怖。

故事发生在我们的日常，并不是说现实世界与幻想世界的界限就在斯坦的作品里消失了。实际上，这不过是幻想小说里一种常见的模式而已，即"日常魔法"（Everyday Magic），它是《五个孩子和一个怪物》的作者E.内斯比特的首创，它不像"哈利·波特"那样从现实世界进入一个幻想世界，而是颠倒了过来，即幻想世界的人物侵入到了现实世界。斯坦非常的聪明，这种"日常魔法"的写法，不需要去设置什么像九又四分之三车站一样的通道，轻而易举地就能俘获读者的"相信"。

第二，斯坦把快乐注入了惊险。写过《挪威的森林》的村上春树曾说过一句话：好的惊险小说，既能让读者感到不安（uneasy），又不能让读者感到不快（uncomfortable）。斯坦就做到了这一点，岂止是没有不快，而是太快乐了。从斯坦的简历中我发现，斯坦曾在一家儿童幽默杂志任职长达十年之久，所以他的惊险小说才能那样逗人发嗓。

——斯坦发现了我，一把把我从壁橱里面拽了出来，拽到了阳光下面。这时，他把脸上的面具摘了下来，我终于看清了他的一张脸。

斯坦戴着一副眼镜，不过，他镜片后面的那双眼睛很亮、很单纯，无邪得就像是一个孩子。这与斯蒂芬·金就大不一样了，斯蒂芬·金的那双眼睛混浊得让你不寒而栗。这也就是为什么上帝要选择斯坦来为孩子们写惊险小说的缘故吧！

真的，你读斯坦的书，就像是被一个戴着怪物面具的大叔在后面手舞足蹈地追着，他嘴里发出的尖叫声比你还恐怖，还不时地搔上你几下，你会哇哇尖叫，会逃得透不过气来，但你不会死，你知道这不过是一场游戏。

千万别睡着

1　我讨厌这个家

吭！"哎哟！克林贡人打中我了!"

我揉着脑袋，将真人大小的纸板克林贡人——《星际迷航》中好战的外星人—— 一脚踢开。本来，我正伸手去拿最喜欢的那本《蚂蚁侵袭冥王星》，结果那块大大的硬纸板从架子顶上掉了下来，吭当！给我来了一下。

我照克林贡人又踢了一脚："叫你尝尝我的厉害，坏纸板!"

真是受够了。我自己的东西老是向我发动袭击。

我的房间里塞满了破烂儿。总是有东西从墙上掉下来，打中我的头，已经不是第一回了。

"哼!"我额外又赏了克林贡人一脚。

"马特·安姆斯特丹，一个十二岁的怪胎。"哥哥格雷格站在我的房门口，对着一部录音机絮絮叨叨。

"滚出我的房间！"我大吼一声。

格雷格压根儿不理会我，他一向如此。

"马特相对于他的年龄，显得瘦小伶仃。他长着一张圆形的、猪一般的娃娃脸。"他还在对着录音机说话。

"马特的金发金得那么地道，从远处看，你会以为他是个光头。"格雷格捏着假嗓门，做出一副浑厚深沉的样子，极力模仿《动物世界》里的配音。

"至少我脑袋上没顶钢丝球！"我尖声道。

格雷格和姐姐帕姆都有一头铁丝一样的褐色头发，我的却是浅金色，而且很稀疏。妈妈说，爸爸的头发和我的一样。但我不记得他了，我还是个小婴儿的时候，他就死了。

格雷格朝我露出扬扬得意的笑容，继续用《动物世界》解说员的嗓音说道："马特的窝是一个小小的房间，里面充斥着科幻故事、外星飞船模型、漫画书、臭袜子、烂饼渣，以及其他一些怪东西。那么，马特怎么受得了呢？科学家们对此感到迷惑不解。但是要知道，怪胎对于任何正常的人类来说，都是一个不解之谜。"

"我宁愿当怪胎，也比你这样的书呆子强。"我说。

"想当书呆子，你还不够聪明。"他用自己的声音反唇相讥。

姐姐帕姆从走廊里走到他的身旁。"怪胎世界里出了什么事?"她问,"母船终于来接你了吗,马特?"

我把《蚂蚁侵袭冥王星》向她扔去。

帕姆在读十年级,格雷格十一年级。他们总是狼狈为奸地对付我。

格雷格又对着录音机说上了:"受到威胁时,怪胎会发动攻击。然而,其危险性只与一碗土豆泥相当。"

"滚!"我叫起来,想把门关上,但他们堵着门口。

"我不能走,"格雷格反对说,"我有一个作业要做,要观察每一个家族成员,写一篇关于他们生活习性的报告,这是科学研究。"

"你观察帕姆挖鼻孔去吧!"我气冲冲地说。

帕姆一把拨开格雷格,挤到房间里,揪住我身上那件星际迷航 T 恤衫的领子。

"收回你的蠢话!"她大喝道。

"放手!"我大叫,"拉坏了!"

"在怪胎着装的问题上,马特是很难缠的。"格雷格对着录音机咕哝道。

"我说了,收回你的蠢话!"帕姆摇晃我,"不然我就叫大个儿对付你!"

"大个儿"是我家的狗。它个子不大——是一只腊肠狗。不知为什么,它仇视我。

对别人,甚至完全陌生的人,它又是摇尾巴,又是舔手，谄媚至极。对我，它却又叫又咬。

有一次，大个儿溜进我的房间，趁我在睡觉时咬了我。我一向睡得很死，想叫醒我不容易。不过，你必须相信，给狗咬一口，你必醒无疑。

"过来，大个儿!"帕姆大声吆喝。

"好了!"我叫道，"我收回。"

"回答正确，"帕姆说，"奖品归你了!"说完她动手敲我的脑袋。

"哎哟! 哎哟!"我连连吸气。

"怪胎的姐姐给他的头颁奖，"格雷格在一旁评论道，"怪胎说：'哎哟!'"

帕姆终于放开了我。我扑过去，倒在床上。床往墙上一撞，一堆书从头顶的架子上倒下来，噼里啪啦地砸在我身上。

"把录音机给我用一下，"帕姆对格雷格说着，劈手从他手里抢过录音机，对着它大声嚷嚷，"怪胎倒下了! 感谢我——帕美拉·安姆斯特丹，酷人一族的世界再次安全了! 呜啦! 呜啦! 呜啦!"

我讨厌我过的日子。

帕姆和格雷格把我当成了人形沙袋。要是妈妈经常在家可能会好些，她可以管管他们，可是她几乎没有在家的时候。她打着两份工，白天教人用电脑，晚上在一家律师事务所打字。

帕姆和格雷格本来负责照顾我的。要他们照顾我，哼！

他们只是确保我一天二十四小时都不开心。

"这房间好臭，"帕姆呻吟一声，"咱们还是走吧，格雷格。"

他们砰的一声甩上了门，我的太空模型从柜子上掉了下来，摔碎在地上。

至少他们让我自个儿待着了。我才不管他们说的话有多难听，走了就好。

我在床上看《蚂蚁侵袭冥王星》。比起自己的家，我更愿意待在冥王星上，哪怕有巨大的蚂蚁朝我喷射黏液。

床很硌人，我将一堆书和衣服扫到地上。

在这幢房子里，我的房间是最小的。这不用说，最差的东西总是我的，就连客房也比我的房间大。

我不明白。我比谁都需要大房间！我有那么多的书、海报、模型，以及各种杂七杂八的东西，这儿几乎连睡觉的地方都没有了。

我打开书，开始读下去，读特别吓人的那一段。贾斯汀·凯斯，一位人类的太空旅行者，被邪恶的蚁王逮住了。蚁王向他逼近，越来越近，越来越近……

我把眼睛闭了一会儿——就一小会儿——然后可能是

睡着了。突然，我感觉到脸上一阵刺痛，好像是蚁王火热的呼吸！

呸！一股狗粮味儿。

然后我听到了低声的咆哮。

我睁开眼睛。

情况比我想的还糟糕，比蚁王还糟糕。

是大个儿——它正要朝我扑过来！

2　我要换一个大房间

"大个儿!"我尖叫,"走开!"

啊呜!它张开腊肠狗的血盆小嘴向我咬来。

我一躲——它没咬着,反被我推下床去。

它朝我龇牙咧嘴,还想跳上来,但是它个子太小了,不助跑就跳不到床上。

我在床上站起来,大个儿张嘴咬我的脚。"救命!"我大声叫唤。

然后我才看到,帕姆和格雷格站在门口,笑得牙都快掉了。

大个儿向后退,准备助跑。"你们帮帮我呀!"我哀求着说。

"啊,好吧。"帕姆说。格雷格笑得弯下了腰。

"快呀,"我可怜兮兮地说,"我下不来!它会咬我的!"

格雷格笑得上气不接下气："为什么你以为是我们把它放到你床上的呢？哈哈哈哈！"

"你不该睡那么多，马特，"格雷格说，"我们觉得该把你叫醒了。"

"而且，我们好无聊，"帕姆跟他一唱一和，"想寻点开心。"

大个儿撒腿飞跑，穿过房间蹿到床上。它往上跳，我就往下跳。我慌里慌张地跑开，踩到了漫画书，脚底直打滑。

大个儿在后面追。我冲进走廊，在它冲出房间之前关上了房门。

大个儿在里面狂叫。

"放它出来，马特！"帕姆向我喝道，"你怎么可以这样对待可怜的宝贝大个儿？"

"别来烦我！"我大叫一声，跑下楼到了客厅，狠狠坐进沙发里，打开了电视。我根本用不着换台，因为我只看一个频道——科幻频道。

我听到大个儿在楼梯上往下冲，顿时浑身紧张，预备着它冲上来。不过，它慢慢地走进厨房里去了。

也许是想去吃点恶心的狗饼干，我心想，这只肥胖的小魔鬼。

前门打开，妈妈进来了，手里捧着几袋子食物。

"嗨，妈妈!"我叫道。我很高兴她回家了，有她在的时候，帕姆和格雷格会安分点儿。

"嗨，宝贝。"她把袋子拿进厨房，"我的大个儿在这儿呢!"她亲亲热热地说，"我的宝贝小狗狗还好吗?"

人人都爱大个儿，只有我例外。

"格雷格!"妈妈喊道，"今晚轮到你做饭了!"

"不行!"格雷格在楼上大声应道，"妈妈，我有好多功课要做! 今晚没时间做饭了。"

没错。他忙着做作业呢，他的作业就是没完没了地逼得我发疯。

"让马特做吧，"帕姆喊着，"他啥事都没干，正在看电视呢。"

"我也有作业，你知道的。"我抗议。

格雷格走下楼来。"嗯，"他说，"七年级的作业啊，真是难死了!"

"我打赌，你在七年级的时候可没觉得它容易。"

"孩子们，别吵了，"妈妈说，"我只能休息几个小时，然后还得去上班。马特，准备晚饭。我要上楼躺一会儿。"

我冲进厨房："妈妈! 今天不是我!"

"格雷格以后会补回来。"妈妈保证说。

"那帕姆做不行吗?"

"马特——够了。你来做,就这样定了。"她拖着疲惫的步子向楼上的卧室走去。

"卑鄙小人!"我嘟囔着,"这个家里从来没有我说话的份儿!"

"晚餐打算做什么,马特?"格雷格问,"怪胎汉堡包?"

"马特·安姆斯特丹张着嘴嚼东西。"我们在厨房吃晚饭,格雷格又对着他的破录音机说话了。

"今晚,安姆斯特丹一家吃的是金枪鱼沙锅面,"他说,"马特做的。放在烤箱里的时间太长,盘底的面条已经烟了。"

"闭嘴。"我喃喃地说。

有一阵子谁都没有开腔,只听到叉子在餐盘里发出的叮当声和大个儿的爪子抓在厨房地板上的声音。

"今天在学校里过得怎么样,孩子们?"妈妈问。

"安姆斯特丹太太在询问孩子们的学校生活。"格雷格对录音机说。

"格雷格,在餐桌上一定要这样吗?"妈妈叹了一口气。

"安姆斯特丹太太对儿子格雷格的行为表示不满。"格雷格低声说。

"格雷格!"

"格雷格妈妈的声音变大了。她会发飙吗?"

"格雷格!"

"我必须得这样,妈,"格雷格恢复了正常的声音说道,"要交给学校的!"

"我听得很烦。"妈妈说。

"我也是。"我插了一嘴。

"谁问你了,马特?"格雷格厉声说。

"关掉,吃完饭再开,好吗?"妈妈问。

格雷格没答话,不过把录音机放在了桌面上,吃了起来。

帕姆说:"妈妈,我可以把冬天的衣服放到客房的衣柜里吗?我的柜子都满了。"

"我想想吧。"妈妈说。

"嘿!"我叫了起来,"她有一个老大的衣柜!她的衣柜差不多有我整个房间那么大!"

"那又怎么样?"帕姆满不在乎地问。

"我的房间是全家最小的!"我愤愤地说,"简直走都走不进去了。"

"那是因为你是个邋遢鬼。"帕姆尖声说。

"我不是邋遢鬼!我整洁着呢!可是我需要一个大点

儿的房间。妈妈，我可以搬到客房去吗?"

妈妈摇摇头："不行。"

"为什么呢?"

"我想留个好房间给客人。"妈妈解释说。

"什么客人?"我叫起来，"我们从来没有过客人!"

"爷爷奶奶每年圣诞节都会来呢。"

"那才一年一次。爷爷奶奶不会介意每年睡一次我的小房间的。其他时候他们自己有一整幢大房子!"

"你的房间睡不下两个人，"妈妈说，"抱歉，马特，你不能用客房。"

"妈妈!"

"你还在乎自己睡哪儿呀?"帕姆说，"全世界就你睡得最死，在飓风中间你都能睡得着!"

格雷格又拿起录音机："当马特守在电视机前面的时候，他常常是睡着的。他睡着的时候远远多于醒的时候。"

"妈妈，格雷格又在录音了。"我报告说。

"我知道，"妈妈疲惫地说，"格雷格，放下。"

"妈妈，请让我换个房间吧，我需要一个大些的房间!我在房间里不只是睡觉，我还在里面生活!我需要一个地方，躲开帕姆和格雷格。妈妈——你不知道你不在家的时候是什么样的!他们对我坏极了!"

"马特，别说了，"妈妈又说道，"你有一个好哥哥，还有一个好姐姐，他们把你照顾得很好，你应该感谢他们。"

"我讨厌他们！"

"马特！我听够了！回你的房间去！"

"这个家里根本没有我的地方！"我大喊一声。

"快去！"

我向楼上跑去，一面听到格雷格用录音的嗓音说："马特受到了惩罚。他犯了什么错？错在他是个怪胎。"

我重重地关上门，脸埋在枕头里，尖叫起来。

那天晚上，剩下的时间我都在自己的房间里度过。

"不公平！"我自言自语地说，"帕姆和格雷格想要什么都可以——我得到的只有惩罚！"

客房根本没人用，我心想，我才不管妈妈怎么说，从现在起，我就要睡在里面。

妈妈出门去上夜班了。我一直等，直到帕姆和格雷格关掉灯，各自回房。然后，我溜出去，进了客房。

我要在客房里睡，什么也拦不住我。

我没觉得这有什么大不了的。最坏的后果是什么呢？妈妈对我大发雷霆。那又怎样？

我完全没有想到，早上醒来时，我的生活会彻底变成一场灾难。

3 天哪! 我十六岁了

脚很冷。这是我醒来时注意到的第一件事。

我的脚从毯子里伸了出去。我坐起来,将毯子甩过去盖好。

然后我又将毯子拉了起来。那是我的脚吗?

好大哦。倒不是大得像怪物,只不过对我来说有点儿大,比平时显得大。

天哪,我心想。我知道所谓的快速成长期,小孩子在我这个年纪会长得很快,但快成这样也太荒唐了吧!

我偷偷从客房溜出来,楼下传来妈妈和帕姆、格雷格的声音,他们在吃早餐。

啊,不好,我心想。我起晚了。但愿没人发现我昨晚睡在客房里。

我向洗手间走去,准备刷牙,一切都感觉有点怪怪的。

伸手去拧门把手的时候，它好像换了个地方，好像有人昨晚将它移到了下面一点儿的位置。连天花板都觉得矮了些。

我打开灯，望向镜子里面。

那是我吗？

我盯着自己，视线无法移开。里面的人像我，又不像我。

我的脸不那么圆了。我碰了碰上嘴唇，上面有一层金色的绒毛。比起昨天，我长高了大约六英寸！

我……我长大了。现在看上去像十六岁！

不，不，我心想。这不可能，一定是我想象出来的。

只要再闭一会儿眼睛，等睁眼时，我又是十二岁了。

我用力闭上眼睛，在心里数到十。

我睁开眼睛。

一切没有改变。

我已经是个小伙子了！

心脏咚咚地跳了起来。我看过《李伯大梦》那本书。他睡了一百年，醒来发现一切都改变了。

这种事也发生在我身上了吗？我心想，这一觉睡了四年？

我急忙下楼去找妈妈，她会告诉我发生了什么事。

我穿着睡衣往楼下冲，一时还不习惯那双大脚，在第三级阶梯上，我的左脚绊到了右脚。

"哇!"

砰!

剩下的楼梯我是滚完的。

我脸朝下趴在厨房门口，格雷格和帕姆发疯似的鼓噪起来——这是当然的。

"漂亮，马特!"格雷格说，"得十分!"

我从地上爬起来。没时间理会格雷格的嘲笑，我得和妈妈谈谈。

她坐在餐桌边，正在吃鸡蛋。

"妈妈!"我叫道，"你看看我!"

她看了我一眼。"看到了。你还没有换衣服，最好动作快点，不然上学要迟到了。"

"可是，妈妈!"我执拗地说，"我……我是个小伙子了!"

"我太知道这一点了，"妈妈说，"快点儿，十五分钟之后我就走。"

"是啊，快点儿，马特，"帕姆高声说，"你会害我们都迟到的。"

我转过头去正想冲她嚷嚷，却把话咽了回去。她和格雷格正坐在桌边吃麦片粥。

这很正常，对吧？

唯一不正常的是，他们的样子也变了。如果我是十六岁，帕姆和格雷格应该分别是十九岁和二十岁。

但他们不是。他们甚至也不是十五岁和十六岁。

他们看上去只有十一岁和十二岁！

他们变小了！

"这不可能！"我尖叫起来。

"这不可能！"格雷格学了一句，取笑我。

帕姆咻咻直笑。

"妈妈——听我说！"我大声叫道，"事情有点古怪，昨天我还是十二岁，今天我就十六岁了！"

"你就是那么古怪！"格雷格笑话我说。他和帕姆又鼓噪起来。现在的他们和原来大一点儿的他们一样讨厌。

妈妈对我的话心不在焉，我扯着她的胳膊让她专心听。

"妈妈！帕姆和格雷格本来是我的姐姐和哥哥！可是突然之间，他们变小了！你不记得了？格雷格最大！"

"马特疯了！"格雷格尖叫，"疯了！疯了！"

帕姆笑得滚倒在地板上。

妈妈站起来，把盘子放进洗碗槽："马特，我没时间跟你开玩笑，赶紧上楼穿衣服。"

"可是，妈妈……"

"快点儿!"

我能怎么办？谁都不听我说，他们好像觉得一切都正常。

我来到楼上，准备换上上学的衣服。旧衣服全都找不到了，抽屉里都是以前没有见过的衣服，都适合我这副新的大身板儿。

这会是一场恶作剧吗？我一边给十码的运动鞋穿鞋带，一边在心里琢磨。

格雷格一定是在我身上玩了什么疯狂的把戏。

可是，他怎么玩的？格雷格怎么可能让我长大——让他自己缩小？

就算是格雷格，也办不到。

这时，大个儿小跑着进来了。

"啊，不要!"我叫起来，"走开，大个儿，别过来!"

大个儿不听我的。它冲我跑了过来——开始舔我的腿。

它没有吼叫，没有咬我，它还在摇尾巴。

这就对啦！我心想，真是乱套了，一切全都发了疯。

"马特！我们要出门了!"妈妈喊道。

我匆匆下楼，出了前门，他们全都在车上了。

妈妈开车送我们去学校，她把车停在我的学校——麦迪逊中学。我开门下了车。

"马特!"妈妈喝了一声,"你干什么?回来!"

"上学啊!"我分辩道,"你不是送我来上学的吗?"

"再见,妈妈!"帕姆欢快地说。她和格雷格亲了亲妈妈,跟她道别,然后下了车。

他们跑进了学校。

"别傻站着,马特,"妈妈说,"我上班要迟到了。"

我又回到车里。妈妈又开了几英里路,然后停在……一所高中门口。

"到了,马特。"妈妈说。

我咽了咽口水。高中!

"可我还没准备好上高中呢!"我不干。

"你今天是怎么了?"妈妈没好气地说,她从前座伸出手来,替我推开车门,"快去!"

我必须下车,我没别的路可走。

"祝你今天过得愉快!"她边把车开走边叫道。

只看了那学校一眼,我就知道——我不可能有愉快的一天。

4 可 怕 的 高 中 生 活

铃声响起。看了叫人害怕的大孩子们拥进教学楼。

"来，小子，快走啊。"一位老师将我推向大门。

我的胃直抽筋，感觉像是头一天上学的样子——比这还可怕十倍！无数倍！

我想尖叫：我不能上高中！我才上七年级呢！

我跟着几百名孩子，漫无目的地在走廊里瞎逛。去哪里？我不知道，我连自己在哪个班都不知道！

一个身穿橄榄球服的大个子向我走来，脸伸到我面前。

"呃，你好。"我说。这家伙是谁？

他没有动，他甚至一个字都没说，就这么着，跟我鼻尖对着鼻尖。

"呃，是这样，"我说道，"我不知道去哪个班。你知道他们在哪儿吗，那些像……呃……像我这么大的孩子？"

那大块头——非常非常大——开了口。

"你这小无赖，"他说道，"你昨天对我干的好事，我决不放过你。"

"我？"我的心颤了颤，他在说什么？"我对你做了什么事？不会吧，我什么也没对你做过！昨天我根本不在这儿！"

他的巨掌按在我的两个肩膀上——开始用力捏。

"哎哟！"我叫出声来。

"今天，放学以后，"他一个字一个字地说，"叫你尝尝我的厉害。"

他放开我，在走廊里慢条斯理地走下去，好像这地方是他家的。

我吓得要死，一头冲进第一间教室。

我坐在最后面。一位高个子女人，长着一头黑色的鬈发，走到黑板前。

"静一静，孩子们！"她高声叫道，大家安静下来，"把书翻到五十七页。"

这是什么班？我看着旁边的一个女孩从书包里拿出课本，然后瞧了瞧封面。

啊，天哪！

不可能。

书名是——《高等数学：微积分》。

微积分！我连听都没听说过。

我的数学向来很差劲——虽然只是七年级的数学。我怎么可能会微积分？

老师看到我，眯起了眼睛。

"马特？你是上这堂课的吗？"

"不！"我叫着，从座位上跳了起来，"我不该上这堂课，肯定不该！"

老师点点头："你在我两点半上课的班上，你想换班吗？"

"没有，没有！没事！"我边说边往教室外面退，"我搞错了，没别的事！"

我忙不迭地走出门去，赶快离开了那儿。好险，我心想，两点半我也不会再回来。

今天的数学课看来是要逃掉的了。

现在我该怎么办？我不知道。我在走廊里慢腾腾地走着，铃声再次响起。另一位老师—— 一个戴眼镜的矮胖男人——出现在走廊里，正要关他的教室门。他看到了我。

"你又迟到了，安姆斯特丹，"他朝我严厉地说，"快，快来。"

我赶紧进了那间教室。但愿这里学的东西是我能应付的，比如可以看漫画书的语文课。

没这好事。

确实是语文课，没错。

但我们不是看漫画书，我们在看一本名叫《安娜·卡列尼娜》的书。

首先，这本书简直有一万页那么厚。其次，别人全都看过了，而我没有。再者，就算我曾经看过这本书，再过一百万年，我也看不懂。

"既然你是最后一个到教室的，安姆斯特丹，"那位老师说，"你就第一个朗读好了，从四十七页开始。"

我在一张桌子边坐下，到处摸了摸。"呃，老师，"我不知道这家伙的名字，"呃……我没带书。"

"没带，你当然会没带，"老师叹了口气，"罗伯逊，可以请你把书借给安姆斯特丹吗？"

罗伯逊原来就是坐在我旁边的那个女孩。每个学生都用姓来称呼，这个老师是怎么回事？

女孩把书递给我。"谢谢，罗伯逊。"我说。她朝我怒目而视。

看来她不喜欢别人叫她罗伯逊。但我不知道她叫什么名字，以前我压根儿就没见过她。

"四十七页，安姆斯特丹。"老师又说道。

我打开书，翻到四十七页，扫了一眼，然后深深地吸了一口气。

满纸都是生僻难懂的词，我从来没见过的词。

还有老长老长的俄国名字。

我就要大出洋相了，我心想。

一句一句地读吧，我对自己说。

问题是，书的句子好长，一句就占了一整页！

"你到底读不读?"老师质问道。

我又吸了一口气，开始读第一句。

"年轻的基蒂·谢尔伯……谢尔巴……谢尔伯特……"

罗伯逊咻咻地偷笑。

"谢尔巴茨卡娅，"老师纠正说，"不是谢尔伯特。这些名字我们已经学过一遍，安姆斯特丹，你应该知道的。"

谢尔巴茨卡娅？就算老师读了一次，我还是拼不出来。我们七年级的拼写考试里，从来没有出现过这种字。

"罗伯逊，你替安姆斯特丹读下去。"老师下令。

罗伯逊从我手里拿走她的书，大声朗读起来。我努力地听，原来讲的是什么人参加舞会啦，又有什么人想向基蒂公主求婚啦。女孩子的玩意儿，我心里想着，张嘴打了个哈欠。

"觉得没意思吗，安姆斯特丹?"老师问道，"也许我能让你打起点儿精神来。给我们说说这段文章的意义吧。"

"意义?"我跟着说了一句，"你是说，它讲了些什么?"

"就是这个意思。"

我开始拖时间。这讨厌的课什么时候才结束?

"呃……意义,就是说,"我自言自语地说,假装正努力开动脑筋,"它的意思是什么?啊,这问题得好好想一想……"

所有人都在座位上看着我。

老师的脚掌拍打着地面:"我们听着呢。"

还能怎么办呢?我根本什么都不懂。所以,我只好用上了那百试百灵的逃生秘诀。

"我想上厕所。"我说。

所有人都笑了,除了那位老师。他转了转眼珠子。

"去吧,"他说,"回来的时候在校长室等一下。"

"什么?"

"你不是听见了吗,"老师说,"你得去见校长。现在快点儿离开我的教室。"

我跳起来,跑出教室。我的老天爷!高中的老师真凶啊!

虽然眼看要受到惩罚,但离开那儿我还是非常高兴。

有一句话,我从来没想过自己会说,那就是:我想回到初中去。我希望一切都恢复老样子。

我又漫无目的地走在长廊里,寻找校长办公室。我看到一扇镶着磨砂玻璃的门，上面写着：麦克洛波太太，校长。

我该进去吗？为什么要进去呢？她只会朝我大吼大叫。

我正想转身离开，有人在走廊里向我走来了。

一个我不想见到的人。

"你来了，小无赖!"上午遇见的大块头说，"我要把你揍得嘴啃泥!"

5　校长太太请相信我

咕噜，我咽了一口唾沫。

突然间，校长办公室显得不那么可怕了。这家伙——不管他是谁——在校长办公室里绝对不会对我下手。

"等我收拾完你，你得去找整形医生！"这家伙叫嚣道。

我打开校长室的门，从门缝里溜了进去。

一个身躯庞大的女人坐在桌子后面写东西，灰色的头发一丝不乱，油光锃亮，像钢盔一样。

"嗯？"她说，"什么事？"

我先喘了几口气。我为什么来？

啊，对了，语文课。

"语文老师叫我来的，"我解释道，"大概我犯了什么错。"

"坐下，马特。"她给了我一张椅子，她看着挺和气，声音也没有拔高，"怎么回事？"

"什么地方一定是出了问题，"我说道，"我不是这儿的，我根本就不应该读高中。"

她皱起了眉头。"你到底在说什么？"

"我才十二岁！"我大声说道，"我才读七年级！高中的功课我做不来，我应该读初中！"

她好像是被我弄糊涂了。她伸出手，用手背探了探我的额头。

这是在看我有没有发烧，我的话听起来一定像胡言乱语。

她一字一顿、清清楚楚地说："马特，你在读十一年级，不是七年级。你听懂了吗？"

"我知道我的样子像十一年级的学生，"我说，"那些课程我学不来！刚才，在语文课上，他们在读一本叫做《安娜·卡列尼娜》的大厚书，我连第一个句子都读不下去！"

"冷静点，马特，"她站起来，向一个文件柜走去，"你学得来，我会证明给你看的。"

她拿出一个文件夹然后把它打开。我看过去，发现是一张成绩表，上面记着成绩和评价。

表头上写着我的名字，还有各个年级——七年级、八年级、九年级、十年级和十一年级的上半学期。

"看到没有？"麦克洛波太太说，"你学得来这些功课的。每一学年，你大部分科目都能得B。"

还有一些是A呢。

"可是……可是现在的我还没得呢。"我分辩道。怎么回事？我怎么会来到这么远的未来世界？这些年都发生了些什么？

"麦克洛波太太，你不明白，"我坚持说，"昨天，我还是十二岁。今天我一醒来——发现自己变成了十六岁！我是说，我的身体已经十六岁了，但我的脑子还是十二岁的！"

"是的，我知道。"麦克洛波太太回答道。

6 哦！天哪！体育课！

"是的，我知道你看了很多科幻作品，"麦克洛波太太说，"但你不会以为我会相信这个愚蠢的故事吧——会吗？"

麦克洛波太太抱着两只胳膊，叹了口气。我明白，她已经对我失去耐心了。

"你下一节课准是体育课，对吧？"她说。

"什么？"

"你说的全是瞎话，对不对？"她瞄了一眼钉在我档案上的课程表。

"我明白了，"她喃喃地说，"果然，下一节是体育课，你是想逃课哩。"

"不是！我说的是真的！"

"快去上体育课，年轻人，"她说，"五分钟之前就开始了。"

我呆呆地看着她，两只脚好像粘在了地板上。我早该知道，她不会相信我的。

"你到底去不去？"她发火了，"还是要我亲自把你揪过去？"

"去，去！"我向办公室的门口退去，跑进了走廊里。麦克洛波太太把头伸出门外，叫道："不准在走廊里跑！"

帕姆和格雷格总是说起高中有多糟糕，我向体育馆快步走去，一边在心里想道，原来它压根儿就是一场噩梦！

嘟！体育老师吹响了哨子。"排球！列队分组！"

体育老师是一个敦实粗壮的家伙，头戴一顶黑色假发。他选出了几名队长，然后队长们开始挑选队员。

别选我，别选我，我暗暗祈祷。

其中一名队长，一个名叫丽莎的金发女孩选了我。

我们在球网边排开，对方发球。排球像一颗子弹，直奔我而来。

"我来接！我来接！"我大叫。

我刚伸出手准备把球打回去。

砰！它狠狠地砸在了我的头上。

"哇！"我揉着发疼的脑袋。我忘记了——我的头比起以前，处在高得多的位置。

"小心点，马特！"丽莎大叫。

我有一种感觉，我对排球肯定不会很在行。

球又向我们飞来。"接住，马特！"有人喊道。

这一次我把手伸得比较高，可是，大脚板又绊住了我，哟——我直接倒在了旁边那人的身上。

"看着点，伙计！"那人吼道，"从我身上下来！"然后他伸手捂住肘部，"啊！我的胳膊肘受伤了！"

老师吹响口哨，急忙跑到他身边。"最好去看看医生。"老师说。

那人捂着胳膊离开了体育馆。

"真不错啊，马特，"丽莎挖苦地说，"下一次试着干点对的事，好不？"

我尴尬地红了脸。我知道，这会儿我活像个小丑。但是，我以前可没那么高！也没有那么大的手和脚。我根本不知道怎么使唤它们。

接下来的几个回合，我都平安无事，没出什么乱子。其实，是排球根本没有靠近我，所以我也没有机会去搞砸什么。然后，丽莎说道："你来发球，马特。"

我知道会有这一步，所以他们每个人发球的时候，我都仔细地看着，知道了该怎么做。

这一回，我不会坏事，我暗暗下定决心。我要发个好球，给我们队挣上一分，这样他们就不会生我的气，怪我连累全队输球了。

嘭！我重重地拍在球上，在这以前，我还从没那么用力地拍过东西呢。它呼啸着飞了出去，快得几乎让人看不到。

啪！

"啊呀！"

丽莎捂着半边脑袋，弯下腰去。

"干吗用那么大的力气啊？"丽莎揉着脑袋嚷道。

老师看了看她的头。"这儿会淤一大块，"他说，"你最好也去看看医生。"

丽莎怒气冲冲地瞪着我，然后蹒跚地走了。

老师好笑地看了我一眼。"怎么回事，孩子？"他问，"不知道你自己有多大的力气吗？还是想一个一个地干掉你的同学们？"

"我……我不是故意的，"我结结巴巴地说，"我发誓！"

"洗澡去吧，孩子。"老师说。

我垂头丧气地向更衣室走去。

这一天已经糟得不能再糟了，我心想，不可能了。

不过，为啥要冒险呢？

现在是吃午饭的时间，还有半天的课要上。

可是我不想再待下去了。

我不知道自己能去哪里，能做些什么，唯一知道的是，不能再留在学校里了。

高中太可怕了，如果有机会恢复过去的生活，我要记得避开这一段。

我离开体育馆，用最快的速度飞奔，跑过走廊，跑出大门，离开了教学楼。

我回头望去。那个大块头在后面追着我吗？校长发现我溜出来了吗？

没有人。平安无事。

然后——哎哟！

啊，不，别再来了！

7 到底发生了什么?

我撞到了某人身上,然后向后弹开,重重地跌倒在地。

哎哟!发生了什么事?

一个女孩坐倒在人行道上,好多书在她身边散落了一地。

我把她扶起来。"你还好吗?"我问。

她点点头。

"真对不起,"我说,"这一整天我不是撞这里,就是撞那里。"

"没事,"女孩微微一笑,"我没受伤。"

她不是高中生,看上去和我一样大。我是说,和我认定的自己的年纪一样,十二岁。

她长得很漂亮,浓密的金发扎成了一条很长的马尾巴,蓝色的眼睛亮晶晶地看着我。

她弯下腰去捡自己的东西。

"我来帮你。"我好心地说，伸手捡起一本书。

砰！我俩头碰头撞个正着。

"又来了！"我大叫一声。真是受够了。

"没关系。"女孩说着把书全部拾了起来。

"我叫蕾茜。"她对我说。

"我叫马特。"

"怎么回事，马特？"她问，"你为什么这么急冲冲的？"

我能对她说什么呢？说我的生活已经一团糟了吗？

这时，学校大门猛地打开了，麦克洛波太太走了出来。

"我得走了，"我回答道，"得回家了，再见！"

趁着麦克洛波太太没发现，我沿着大街一溜烟跑掉了。

我瘫在沙发上。真是可怕的一天。至少，我还是回到了家里，没让那个大块头痛打一顿。

可是，明天该怎么办呢？

我一直在看电视，直到格雷格和帕姆放学回家。

帕姆和格雷格，我几乎把他俩忘到脑后去了。

他们现在还是小孩呢，看起来都指望着我来照顾。

"给我们弄点心！给我们弄点心！"帕姆唱歌似的念

叨。

"自己弄!"我没好气。

"我告诉妈妈去!"帕姆大叫,"她叫你给我们弄点心吃!我饿了!"

我想起了帕姆和格雷格在不想为我做事时最常用的借口。

"我要做作业。"我说。

啊,对啊,我这才想起来。

我可能真的有作业要做呢。

高中的作业。

让我做出来那是不可能的。

可是如果我不做,明天的麻烦就大了。

我左思右想,想着那个大块头。我到底对他做了什么?

到了睡觉的时间,我向原来的卧室走去,可现在是帕姆睡在里面。

于是我又回到客房,上了床。

以后怎么办?我怀着忧虑,闭上了眼睛。

到底发生了什么事,我完全不知道。

我什么事都做不好。

这就是我以后的生活吗——永远这样下去?

8　我有了新的爸爸妈妈

　　我睁开眼睛。已经是早上了，阳光从窗户里洒了进来。

　　啊，真棒，我心想，"美好的"高中生活又开始了新的一天。

　　我又闭上眼睛。我无法面对这一切，我心想，也许一直待在床上，所有问题就会消失不见吧。

　　"马特！该起床了！"妈妈喊道。

　　我叹了一口气。妈妈从来不会让我待在家里不去上课，看来我只有死路一条了。

　　"马特！"她又喊了一声。

　　她的声音听起来有点奇怪，我心想，嗯，是比以前更加清脆。

　　也许她终于有一天不那么累了。

我勉为其难地下了床，脚踩上地面。

等等。

我的脚。

我盯着自己的脚。它们看起来不一样了，我是说，它们看起来还是老样子。

这回它们不那么大了，我以前的脚又回来了！

我看看自己的双手，动了动手指头。

是我！我又是以前的我了！

我冲进浴室照镜子，一定要搞清楚。

我打开灯。

是我——一个十二岁的小男孩！

我高兴得又蹦又跳："万岁！我十二岁！我十二岁！"

所有问题都解决了！我用不着再去上高中了！

也用不着面对那个大块头！

噩梦结束了！

一切恢复正常啦。现在，连帕姆、格雷格、大个儿凶巴巴的老样子，我都非常渴望看到啦。

"马特！你要迟到了！"妈妈高声叫道。

她是感冒了还是怎么的？我一边飞快地换好衣服下楼，一边奇怪地想，她的声音听上去真的和平时不一样。

我几乎是蹦蹦跳跳地进了厨房。"今天我要吃麦片粥，妈妈……"

我顿住了。

厨房的餐桌边坐着两个人。一个男人，一个女人。

我从来没有见过他们。

9 令我迷惑的新家

"我烤了一些面包片，马特。"那女人说。

"我妈妈呢？"我问，"帕姆和格雷格呢？"

那一男一女茫然地看着我。

"有点不舒服吗，儿子？"那男人问道。

儿子？

女人站起来，在厨房里忙这忙那："把你的果汁喝了，亲爱的。今天爸爸送你去上学。"

爸爸？

"我没有爸爸！"我说，"我很小的时候，爸爸就去世了！"

那个男人摇了摇头，咬了一口烤面包："人家告诉我，说孩子在这个年纪会变得很古怪，但没想到有这么古怪。"

"他们在哪儿？"我质问道，"你把我家里人怎么样了？"

"我今天没心情开玩笑，马特，"男人说道，"该干什么干什么去吧。"

一只猫静悄悄地走进厨房，在我的腿上蹭来蹭去。

"这只猫在这儿干什么？"我问，"大个儿呢？"

"谁是大个儿？你在说什么呀？"女人说道。

我开始害怕起来，心跳得厉害，两腿直发软。

我坐到椅子里，喝了一口果汁。"你是说……你们是我的爸爸和妈妈？"

女人在我的头上亲了一下："我是你妈妈，他是你爸爸，那是你的猫，名叫句句。"

"我没有兄弟姐妹？"

女人抬起一道眉毛，看了那个男人一眼："兄弟姐妹？没有，亲爱的。"

我全身一抖。我的亲妈从来不叫我"亲爱的"。

"我知道你想要个弟弟，"女人接着说道，"但你真的不会喜欢的，你一向不喜欢跟别人分享东西。"

我再也受不了啦。

"得了，别再说了，"我气愤地说，"别再胡说八道了。我要知道——为什么这事要发生在我身上？"

"爸爸妈妈"交换了一个眼色，然后一起扭过身去，背对着我。

"我要知道你们是谁!"我大喊大叫,全身发抖,"我真正的家人到哪里去了?我要知道——说啊!"

那个男人站起来,抓住我的胳膊。"上车,儿子。"他命令道。

"不!"我尖叫。

"玩笑结束了,立即上车。"

我没办法,只能跟着他走到一辆车面前—— 一部亮闪闪的新车,不是我真正的妈妈那辆破烂老爷车。我上了车。

女人跑了出来。"别忘了带课本!"她叫着,把一只背囊从打开的车窗里塞给我,然后又亲了我一下。

"哟!"我直往后缩,"不要!"我跟她还没熟到可以让她亲我的地步呢。

男人发动车子,驶下车道。女人连连挥手:"祝你在学校过得愉快!"

他们是认真的,我发现,他们真的以为自己是我的爸爸妈妈。

我打了个寒战。

到底是什么怪事发生在我身上了?

10　蕾茜！我被人追杀了

头一天我还是个普通的十二岁男孩，第二天就变成了十六岁。

接下来的一天，我倒是又回到了十二岁——可是却生活在一个完全陌生的家庭里！

"爸爸"开车的时候，我两眼盯着窗外。我们经过的这一带，都是我从没来过的。

"我们去哪儿?"我怯生生地问，声音细细的。

"带你去学校，你以为去哪儿——去马戏团吗?"那男人答道。

"这不是上学的路。"我说。

男人嗤笑一声，摇了摇头，没有答话。

他把车停在一所初中门口——不是我上的那一所，这个地方我从没来过。

"好了，儿子，祝你愉快。"男人把手伸到我旁边，帮我打开了车门。

我还能怎么办？只好下了车。

"爸爸"把车开走了。

这可怎么好？我心想，我倒是又回到十二岁了——可学校完全是陌生的。

我到底是不是醒着的？

为了证实这一点，我往自己的小腿上踢了一脚。哇！好疼。

这说明我是清醒的。

孩子们拥进教学楼，我不知道该怎么办，只能跟在后面。

前面有一个女孩，金发扎成了又粗又长的马尾巴。她转过身来，向我微笑。

她的样子有点儿眼熟。我在哪里见过她？

"嗨！"我向她打了个招呼。

"嗨！"她也说了一句，蓝眼睛亮闪闪地看着我。

"我是马特。"我飞快地动着脑筋，回想自己在哪里见过她。

"我是蕾茜。"

蕾茜！对啊，昨天我撞到她了——就在那所恐怖高中的外面。

我刚想说："我昨天见过你，记得吗？"但是立即又咽了回去。

她认出我了吗？我看不出来。为什么她要认得我呢？我的样子已经和昨天大不一样了。她怎么可能想得到，现在身边的这个十二岁男孩，就是昨天那个笨手笨脚的大哥哥。

"你第一节课是什么？"她问我，"我得去吃午餐。"

"午餐？可是现在才早上八点半！"

"你是新来的，对不对？"她说。

我点点头。

"这个破学校人太多啦，午餐的时候，餐厅里挤不下那么多人，"她解释说，"所以我现在得去吃午餐。"

"我也要去吃午餐。"我撒了个谎。也许不能算是谎话——我怎么会知道？我什么都不知道。这学校不像是学校，更像一大堆麻烦。

我跟着她来到餐厅。那儿真的已经开始供应午餐了。浓郁的甘蓝味儿臭烘烘的，我顿时恶心得想吐。

"一大早可不是吃甘蓝的时候。"我说。

"咱们到外面的操场上去吃吧，"蕾茜提议，"今天天气很好。"

我们溜出餐厅，坐在一棵大树下面。蕾茜喝着一罐巧克力奶。我在背囊里掏了一阵，找我的午餐。我猜，新

"妈妈"一定准备了什么给我。

没错，她准备了。白面包加熏肠和番茄酱，一小塑料袋的胡萝卜条，甜点是香草布丁。

全都是我讨厌的东西。

蕾茜递上一个巧克力纸杯蛋糕："想吃这个吗？这么早我实在咽不下去。"

"谢谢。"我接过了那只蛋糕。

蕾茜好像是个很好的人。自从我的生活变成一场噩梦以来，她是我遇到的最好的人，也是我从那以后遇到的唯一的好人。

也许她能理解。我真的想跟什么人说说自己的事，我觉得好孤单。

"你觉得我眼熟吗？"我问她。

她仔细地看着我的脸。

"确实有点儿眼熟，"她说，"我肯定以前在学校附近见过你……"

"我要说的不是这个。"我决定把一切都告诉她。她一定会觉得很古怪，但我非得跟人谈谈不可。

我慢慢地说下去："你昨天有没有经过高中？"

"有啊，每天回家我都要经过那里。"

"昨天有人撞到你吗？一个十六七岁的大孩子？就在高中门口？"

她刚想回答,但似乎看到了什么。我顺着她的视线,向学校门口看去。

　　有两个人向我们走来。这两个家伙一看就不是善类,一色的黑牛仔裤、黑T恤衫,一个头上扎着蓝头巾,另一个故意扯掉了T恤衫的袖子,毛边袖口里露出两条粗壮的胳膊。

　　他们至少有十六七岁。这两人要干吗?

　　他们朝我们走来了。

　　我的心跳开始加快,莫名地对他们感到害怕。

　　也许是因为他们一副蛮横霸道的模样。

　　"他们是谁?"我问。

　　蕾茜没有回答。她没来得及回答。

　　其中一个黑衣人指着我。

　　"他在那儿!"他喊道。

　　"抓住他!"

11 不！一个陌生的世界

那两人向我跑来。

他们是谁？我不知道。

但我没有想下去，而是跳起来，拔腿就跑，有多快跑多快。

我回头看去。他们追上来了吗？

"别让他跑了！"一个人大声吼道。

蕾茜站在他们面前，拦住了他们的去路。

"谢谢，蕾茜。"我低声说着，一路飞奔，离开了操场。我在陌生的街区上奔跑，极力回想回家的路。

离开学校几个街区以后，我停下来喘气。

那两个人不见了，蕾茜也看不到了。

希望她平安无事，我心想，他们不像想找她麻烦的样子。

他们想找麻烦的人是我。

为什么？

昨天，一个恶人扬言放学后要揍我。

到了今天，在这个奇怪而陌生的世界里，居然又有人想揍我，虽然不是那个恶人，但是今天这两个一身黑的家伙一点儿也不比他弱。

他们是两个不同的恶霸。

我发现，必须要寻求帮助才行。

我不知道到底是怎么一回事，但我已经受不了啦。而且，这种情况太吓人了，我都快不知道自己是谁了。

我在街上胡乱地走着，终于找到了回家的路。"妈妈"和"爸爸"不在家，前门锁上了。我从厨房的窗户爬了进去。

真正的妈妈不见踪影。哥哥、姐姐，连那只讨厌的狗，都不见了。

但是，这儿肯定还有我认识的其他人，我心想，在某个地方，有某个人，能帮助我。

也许我真正的妈妈出门了，也许她正在拜访亲戚什么的。

我决定试着找找玛格丽特婶婶和安迪叔叔，于是拨了玛格丽特婶婶家的电话。

一个男人接了电话。

"安迪叔叔!"我叫道,"是我,马特!"

那个声音说:"谁啊?"

"马特!"我又说了一遍,"你侄子!"

"我不认识什么马特,"那人粗声粗气地说,"你一定是打错电话了。"

"不——安迪叔叔,等一下!"我大叫起来。

"我不叫安迪!"他吼了一句,挂断了电话。

我盯着电话机,满脑子昏昏沉沉的。那人的声音根本不像安迪叔叔。

也许,我真的拨错了号码,我想着,又拨了一遍。

"喂?"还是那个声音。

这一次我换了一个开场白:"请问,安迪·安姆斯特丹在吗?"

"又是你! 这儿没有安迪,孩子,"那人说,"你打错了。"

他重重地挂上了电话。

我极力不让自己惊慌失措,但手抖得厉害。

我拨了查号台。"请问想查哪里?"话务员问。

"安德鲁·安姆斯特丹。"我说。

"稍等。"话务员说。

很快,她说道:"对不起,电话没登记。"

"要不我把字拼出来给你,"我不死心,"A,m,

053

s..."

"我已经查过了，先生，这个名字没有登记。"

"那，你能再查一下玛格丽特·安姆斯特丹吗?"

"根本没有安姆斯特丹这个名字的记录，先生。"

我挂上电话，心扑通扑通直跳。这不可能，我心想，肯定有我认识的人，在某个地方!

我不会放弃的，我要再试着找找表哥克里斯。

我打了克里斯的电话，是另一个人接的。

就好像克里斯根本不存在。安迪叔叔，妈妈，所有我认识的人，都不存在。

我的全家人怎么会消失得无影无踪?

唯一认识的人就是蕾茜。可是，我没办法打电话给她。

我连她姓什么都不知道。

大门开了，自称是我妈妈的女人急匆匆地走了进来，手里大包小包地拿着购物袋。

"马特，亲爱的! 大白天你怎么会在家?"

"不关你事!"我没好气地说。

"马特! 不准没礼貌!"她呵斥我说。

也许，我是不该对她这么没礼貌。但是那又怎样? 反正她不是我的真妈妈。

我真正的妈妈已经从地球表面消失了。

　　我打了个寒战，意识到，在这个世界上，我完全是孤零零的一个人。

　　周围全是陌生人，甚至包括我的"爸爸妈妈"！

12 睡醒后，我八岁

"睡觉时间到啦，宝贝儿。"冒牌妈妈的尖嗓子轻快地说。

我在电视机前坐了一整个晚上，只是呆呆地瞪着它看，什么都没看进去。

也许我不应该再把这些人当成冒牌的爸爸妈妈了，我心想，他们已经够真的了，也许这辈子就得和他们一直过下去。

我慢腾腾地朝楼上走去，一边走一边想，会不会真是这样，明天早上就会知道了。以前的房间现在成了针线房，于是我回到了客房。

"晚安，宝贝儿。""妈妈"亲了我一下。她干吗老要亲我？

她关了灯，说道："明早见。"

早上，我害怕早上。

到目前为止，每一个早上都比前一个诡异。我害怕得不敢睡觉。

醒来之后又会怎样呢？

如果冒牌爸爸妈妈不见的话挺好的，但代替他们的又是谁？

也许等我再次醒来，整个世界都消失了！

我极力保持清醒。求求你，我暗暗祈祷，让一切恢复正常。哪怕格雷格和帕姆也回来，我都会高兴的，只要一切变回老样子就好……

我一定是睡着了。我睁开眼睛，立即意识到这一点——又是一个早晨。

我静静地躺了一会儿。情况变化了吗？

房子里有声音传来，毫无疑问，有别人在这里。

有好多的别人。

我的心开始跳动。啊，不要，我心想，这一次又是什么？

我听到有人在拉手风琴。这很清楚地说明，我以前的家没有回来。

不过，最重要的还是：我今天多大了？

我把手举到面前，它们看起来小了一点儿。

057

我起身向浴室走去，心里尽量不发慌。每天都要经历一遍，真叫我受不了。

　　镜子比往常显得高了些。我看着自己的脸。

　　我不再是十二岁了，这是肯定的。我看上去像是八岁左右。

　　八岁，我叹了一口气。

　　三年级。嗯，至少，数学应该没问题了。

　　突然，后背上猛地疼了一下。

　　哇！爪子！尖尖的爪子抓破了我的后背！

　　爪子更深地抓了进去。

　　我尖叫起来。

13 我——马戏团的小丑

什么东西跳到了我的背上！

一张窄小的、毛茸茸的脸出现在镜子里。有一只动物站在我的肩膀上！

"下来！下来！"我惨叫起来。

"咿——咿——"那只动物吱吱尖叫。

我冲到走廊里——差点儿撞到一个巨人身上。

"把这东西从我身上弄下来！"我大喊大叫。

那人把那只动物从我的肩头拎了下来，笑声洪亮，活像一个邪恶的圣诞老人。

"你怎么啦，马特？"他声若洪钟地说，"被潘西吓了一跳？"

潘西？那人把小动物抱在胳膊里，原来是一只猴子。

他傻乎乎地捋了捋我头顶的头发："快穿上衣服，孩子。今天早上我们还要排练。"

排练？这是什么意思？

我愣愣地看着那个人。他身材魁梧，挺着圆鼓鼓的肚子，黑头发油汪汪的，还有一把长胡子。最古怪的是他的打扮：一件鲜红的长袍，上面绣着金线，还有一根金腰带。

啊，不！我的心沉了下去。他不会是……我爸爸吧？

楼下有个女人在尖声叫唤："克鲁伯！"

那男人递给我一堆衣物。"快换上你的服装，"他说，"然后下来吃早饭，儿子。"

这回我知道了，他确实是我的爸爸。至少，今天之内是。我的"家庭"一天糟过一天。

"克鲁——伯！"楼下的女人又吼了起来。

那位可能是我妈妈，我悲哀地想道。听起来，她可真是一个"好妈妈"。

许多小孩陆陆续续从不同的房间里走了出来，感觉上似乎有几十个，年龄大小不一。不过我数了数，其实只有六个孩子。

我试着理清所有的头绪。我八岁，有六名兄弟姐妹，还有一只当宠物的猴子。那个妈妈的面还没见到，不过那个爸爸看上去完全是个大怪物。

现在，我还得穿那稀奇古怪的衣服。我拿着那个男人给我的衣服仔细看，是一套蓝色的紧身连衣裤，就像杂耍演员穿的那种，下半身是蓝白条纹，上半身有白色的星星图案。

这是干什么的？我要排练什么？

是演戏还是什么呢？

我穿上那套衣服，它刚好合身，就像第二层皮肤一样。我感觉自己完全像个小丑。

然后我就下楼吃早餐。

厨房活像一间疯人院。那些小孩又笑又闹，把食物扔来扔去。潘西围着桌子乱跳，趁人不备偷吃了几口咸猪肉。

一个又高又瘦的女人在往盘子里装薄饼。她身穿一件钉满亮片的礼服，头上还顶着一只银冠。

我的新妈妈。

"快点来吃，马特——待会儿可就没了！"她大喝一声。

我抓住一只盘子，开始吃了起来，还得不停地把潘西赶开。

"马特穿着这件小超人的衣服，是不是很可爱呀？"一个女孩取笑地说。她肯定是我的一个姐姐。

"像颗纽扣一样可爱。"一个男孩刻薄地说，看样子似乎比我大上两岁。他揪住我的腮帮子，拧了一下——力气好大，太大了。"可爱的小马特，"他嗤笑着说，"马戏团里的大明星。"

马戏团！叉子从我手里掉了下来。鸡皮疙瘩一阵阵蹿上后背。我是在马戏团里吗？

那白痴戏服，猴子，现在都解释得通了。

我把头深深地埋进两只手里。马特·安姆斯特丹，马戏团男孩。我几乎要哭出来了。

我有种感觉，哥哥很忌妒我，好像他自己想当这个蠢马戏团的大明星。

让他当好了，我才不管呢。我绝对不想当任何马戏团里的明星。

"别惹马特，不然他又怯场了。"那位妈妈呵斥道。

我观察其他家庭成员，看到每个人都穿着鲜艳的戏服。我是马戏团家庭中的一员。

薄饼沉甸甸地压在我的胃里。我从来都不喜欢马戏，从小就讨厌。

但现在，马戏演出是我的生活，我是其中的明星。啊，天哪！

"排练时间到！"那个爸爸高声说道，他头戴一顶高高的黑色礼帽，往楼梯上啪地抽了一鞭子，"开动！"

我们大家把盘子留在桌上，挤进了一辆破旧的篷车里。妈妈把车开到了将近九十英里的时速。

我的兄弟姐妹们一路上不停地打打闹闹。一个小女孩不住手地掐我，另一个不停地捶我。

"住手!"我凶巴巴地说了一句。为什么我就不能在一个有好兄弟、好姐妹的世界里醒过来呢?

篷车轰隆隆地驶进一个露天游乐场，停在一个很大的马戏帐篷前面。

"全体下车!"爸爸一声令下。

我和兄弟姐妹们推搡着下了车，然后跟着他们走进了帐篷。

帐篷里面有点让人发憷。别的演员已经到齐了，正在练习。我看到快到帐篷顶的一条钢丝上站着一个人。一头大象后腿站立，跳起舞来。几个小丑开着滑稽的小车到处转，一面叭叭地按着喇叭。

不知我是演什么的，我心想。姐妹中有两位手脚利落地爬上一架梯子，练起了荡秋千。

我战战兢兢地看着她们。秋千! 想叫我上去是不可能的，门儿都没有。

拜托，请不要叫我表演荡秋千，我在心里暗暗祈求。

"来吧，马特，"爸爸说，"咱们开工了。"

不要秋千，不要秋千，我连连祈祷。

爸爸领着我从秋千架子边走开，我松了一口气。不管要做什么，总比在秋千上甩来甩去的好，对吧?

错了。

爸爸把我领到帐篷的最里面，我跟着他穿行在一个个关着动物的笼子之间。

爸爸大步走到一个笼子前，打开了笼门。

"好了，儿子，"他轰隆隆地说道，"进去吧。"

我的下巴差点儿掉了下来，简直不敢相信自己的耳朵。

"进……进……进去?"我结结巴巴地说，"可是……里面有只狮子啊!"

狮子张开血盆大口，一声怒吼，我浑身发抖，连连后退。

"你到底进不进去?"爸爸用鞭子的一头戳了戳我，"还是要我推你进去?"

我没动弹，我动弹不了。

所以爸爸就把我推进了狮子笼里，还关上了门。

14　狮口惊魂

我紧靠在笼壁上，冰冷的铁条贴着后背。双腿抖如筛糠，我简直要脸朝下扑倒在地了。

狮子紧盯着我，嗅了嗅空气。

我听说，动物能闻到恐惧的味道。我面前的这只狮子怕是要被熏死了。

我的"父亲"——驯狮人在笼子里，站在我身边。

"今天练一个新花样，马特，"他说，"你要骑到狮子背上去。"

他好像在我的肚子上狠狠打了一拳。我要骑狮子？

哦，没错。

好一个父亲，我心想，拿亲儿子去喂狮子！

狮子站了起来，我目不转睛地看着它，吓得浑身瑟瑟发抖。

噢!

狮子呼出的气吹在我的脸上，像一阵热风。我的头发全都竖了起来。

狮子向我们走来。爸爸甩了甩鞭子，发出啪的一声。"哈!"他大声喝道。

狮子又退了回去，一边舔着肋部。

"去吧，孩子，"爸爸用粗重的嗓门对我说道，"爬到贺卡勒斯背上去，然后挪到肩膀上，我甩鞭子指挥它在笼子里绕一圈。"

我说不出话来，只是呆呆地看着这个人，完全不敢相信这一切。

"干吗这样瞪着我? 你不害怕贺卡勒斯的呀，对吗?"

"害……害怕?"我结结巴巴地说。用"害怕"形容我此时的心情太不合适了，用"魂飞魄散"还差不多，还有惊悚、恐惧、吓呆了。害怕? 差远了。

他又甩了一记响鞭。"我的儿子没有胆小鬼!"他吼道，"爬到狮子背上去——快点!"

然后他又俯下身来，小声说道："小心别让它咬你，别忘了你可怜的哥哥汤姆，他本来还想学着用左手写字呢。"

他再次挥动鞭子——抽在我的脚上。

我不骑这只狮子，绝不。

而且，这笼子我是一秒钟也待不下去了。

爸爸又向我挥起响鞭。我跳了起来。

"不——"我尖叫一声。

我一把拉开笼门，不等爸爸明白发生了什么事，以迅雷不及掩耳之势冲了出去。

我冲出帐篷，脑子里有个声音在狂叫："躲起来！找个地方躲起来——快！"

停车场上有几辆挂车，我冲到其中一辆的后面——和蕾茜撞个正着。

"又是你！"我吃了一惊。她怎么老是冷不丁地冒出来，真是够古怪的。

"大事不好，"我对她说，"我得藏起来！"

"怎么啦，马特?"她问。

"我就要被人拿去喂狮子了！"我叫道，"帮帮我！"

蕾茜用力拉挂车的门，但它锁上了。

"啊，惨了！"我呻吟一声，"看！"

我的手越过挂车指了出去。有两个家伙正向我们跑来。

这俩人我以前见过，就是那两个黑衣人。

他们追着我来了！

我拔腿就跑。可是这儿没地方跑，也没地方躲——除了回到帐篷里。

我从帐篷的门帘冲了进去，一边喘气，一边适应里面的黑暗。

　　其中一人的声音从身后传来。"在里面！他跑进帐篷里了！"

　　我在黑暗中磕磕绊绊地向前摸，想找地方躲起来。

　　"抓住他！"他们已经冲进来了。

　　我没头苍蝇似的乱跑——却正好闯进了狮子笼里。

15 狮子大战黑衣人

我砰地关上笼门。黑衣人抓着铁栏杆用力摇晃。

"你跑不掉的!"那人吼道。

我的驯狮人"爸爸"不见了。我独自关在笼子里——和贺卡勒斯在一起。

"放轻松,伙计,放轻松……"我一边喃喃自语,一边贴在笼子边上,一寸一寸地挪着步子。狮子站在笼子中央,看着我。

那两个家伙又在摇笼门,门打开了,他们走了进来,怒视着我。

"想跑,没那么容易。"一个人恶狠狠地说道。

狮子向他们低低地吼叫了一声。"不过是只老掉牙的马戏团狮子,"其中一人说,"伤不了咱们。"

不过我看得出来,他们并不像嘴里说的那么笃定。

贺卡勒斯再次低吼，这一次声音响了一些。那两个人停住了脚步。

我一点点地蹭到了笼子的角落。

一定要让狮子挡在我和那两个家伙中间，这是我唯一的希望。

小心翼翼地，一个家伙向前走了一步。狮子向他吼了一声。

他退了回去。

狮子的目光在我和那俩人之间扫来扫去，我知道，它是没拿定主意，不知道哪一个味道更好一点儿。

"你们最好从这儿出去，"我警告说，"贺卡勒斯今天还没吃早饭呢。"

那两个人警觉地看着贺卡勒斯。

"它可不会袭击我，"我虚张声势，"我是它的主人，不过，只要我一声令下，它马上就会咬碎你们的喉咙！"

他们互相看了一眼，其中一人说："他是骗人的。"

另外那个看着不那么肯定。

"我可不是骗人，"我继续吹牛，"马上出去——不然我就叫它对付你们！"

一个家伙向笼门动了动身子，另一个人抓住胳膊把他拉了回来。"别这么没用！"他斥责道。

"抓住他们，贺卡勒斯！"我大喝一声，"抓住他们！"

贺卡勒斯在最最凶狠的咆哮声中，纵身扑了出去。

两个黑衣人连滚带爬地冲出笼子，赶在贺卡勒斯蹿出去之前关上了笼门。

"你跑不掉!"一个人冲笼子里面喊道，"我们会回来的!"

"你们为什么要抓我?"我向他们的背影尖声大叫，"我做了什么? 我做了什么?"

16　告别马戏团

　　贺卡勒斯并不是真的想吃人，它只是想到笼子外面去。

　　我往外溜的时候，它也没想拦着我。我一直躲在大篷车里，直到马戏团的排练结束。

　　"你一整天跑到哪里去了？"爸爸看到我，不满地问道。所有人都挤进篷车里，车子向家驶去。

　　"我不舒服，"我诉苦似的说，"得躺一躺。"

　　"明天一定要学会这个新节目，马特，"爸爸坚决地说，"不能再溜号了。"

　　我只是打了个哈欠。估计没有什么明天，至少对我这个马戏团家庭来说。

　　明天会有新的可怕之处。要不，碰到一次什么好事也说不定。

那天晚上，我早早地上了床。我不喜欢在一个马戏家族里当一名八岁男孩，一心只想让这种生活赶紧结束。

我的马戏团兄弟们在我原来的房间里练爬墙，在里面不可能睡得着，所以我又溜进了客房。

可是我无法入睡，心里老是想着明天又会怎么样。当一个人不知道第二天醒来世界是个什么样子时，是很难放松休息的。

我试着数绵羊，但没用。然后我又把醒来以后，所有可能发生的好事都想了一遍。

也许醒来以后，我是美国职业棒球联盟的一名球手，可能是有史以来最伟大的投手。

要不就是一个非常非常有钱的小孩，要什么有什么。

要不就是五百年以后的一个太空探索者。

为什么这类事就不能发生在我身上呢?

我最希望的，还是醒来以后又回到自己的家里，我真正的家。他们是叫我发疯，但至少我已经习惯了。我甚至还想念他们了，一点点。

好吧，其实是很想。

最后，就快天亮的时候，我睡着了。

醒来的时候时间还是很早。我看了看房间，眼前的一切显得有些模糊。

现在我是谁? 我不知道。房间看上去很平常，没听到什么声音，我知道马戏团家庭已经不存在了。

还是彻底搞个清楚吧，我这么想着，跳下床来，觉得双脚有一点儿打战。

我慢慢走进浴室，看向镜子里面。

啊，天哪!

这是最糟糕的情况了。顶顶糟糕，是所有可能出现的情形中，最糟糕的一种!

17　最最恐怖的我！

我是一个老头儿！

"不！"我惨叫起来。真受不了，我尽可能快地挪动我那双颤巍巍的老腿，跑回到床上。

我躺在被子底下，闭上双眼，打算重新入睡。我不想当个老人过上一整天，至少在我其实只有十二岁的时候可不想这样。

我很快就迷糊过去了。醒来时，我马上就发现自己已经变了，不再是一个老头儿。

我感觉到了一股能量，充满了力量，感觉到自己的强壮。

也许我到底还是当上了一回棒球手，我高兴地想。

我揉了揉眼睛，这时候看到了自己的手。

它，它是绿色的。我的皮肤是绿色的，而且手上没有手指，有的是爪子!

我艰难地咽了咽口水，极力按捺心中的恐慌。

这一次是什么事发生在我身上?

我笨拙地走到浴室的镜子面前，立即便知道了答案。

我看到了自己的脸，发出一声恐怖而厌恶的吼叫。

我变成了一个妖怪，一个巨大的、面貌丑陋的妖怪。

18   妖怪的一天

我想尖叫，想吼叫："我怎么会这样?！这不可能!"

但冲出喉咙的只是令人毛骨悚然的狂嚎。

不！我惊慌失措地在心中叫着，想把那可怕的外皮从身上撕下来。我是一只吓人的妖怪——连话都不能说!

我身躯庞大，几乎有七英尺高，而且强壮有力，浑身上下都分泌着黏液，还有类似蜥蜴的鳞片状绿色皮肤，上面分布着黑色的条纹。

我的脑袋像恐龙，长满了肉瘤，头顶上伸出三只尖角，一边各有两只尖尖的耳朵。

我的双手和双脚都长着锐利的爪子，走动的时候，脚趾甲敲打在浴室地面上，发出啪嗒啪嗒的声响。

我是一个丑得要死的家伙。

还是当个老头儿好些。每一次醒来，生活就更糟糕一点！这种日子什么时候才是个头啊？我怎么才能摆脱这种局面呢？

我想起了蕾茜，好像不管我去到哪里，她都会冒出来。

而且她还帮我逃避那些黑衣人呢，我又想到，她是愿意帮助我的。

我得找到她，她一定就在外面。

她是我唯一的机会。

我拖着妖怪的身体，走在这栋房子里。房子是空的。还好没有什么家人要我去应付，一大家子的妖怪绝对是一个真正的噩梦！

这一点儿小事也值得我庆幸了，尤其当我披着一身绿皮，头上长尖角的时候。

我摇摇晃晃地出了门，走到街上。"蕾茜！蕾茜，你在哪里？"我想大声呼唤。

可是我的嘴里说不出话来，发出的只是闷雷一般惊心动魄的吼叫。

沿路驶来的一辆车骤然刹车。司机在挡风玻璃后面看着我，一副目瞪口呆的样子。

"别害怕！"我叫道，但发出的不是这句话，而是另一声巨吼，激得空气泛起波纹。

那个男人狂叫一声，掉转车头，在街道上全速疾驶，然后轰然撞上了另一辆车。

我走过去看有没有人受伤。另一辆车里是一个女人，还带着孩子。

他们一定没什么事。因为一看到我，他们就跳出车子，飞也似的逃跑了，一路扯破嗓门地号叫着。

我巨大的蜥蜴脚带着我，来到市中心。我跌跌撞撞地穿过树丛，踢翻了一个又一个垃圾桶。所有人看到我，都发出惊恐欲绝的尖叫。

蕾茜，我心想，一定要找到蕾茜。

我本来只想让自己专心在这件事上，但是，我饿了，饿得非常非常厉害。

一般来说，我喜欢用花生酱和布丁当点心。但这时候，我却强烈地渴望起金属来。一大团美妙的、嚼起来嘎嘣脆的金属。

整个城市都陷入了恐慌。人们到处乱跑，叫得好像世界末日来临了似的。

可是我没想伤害任何人，一心想的，只是吃点儿小点心。

我挡在一辆看上去很美味的小车面前。司机猛地踩下了刹车。

嗷呜！我用两条力大无穷的妖怪胳膊捶打自己的胸膛。

079

司机在车里缩成了一团。我伸手从挡风玻璃上扯下一根雨刷，先尝尝再说。

嗯，蛮有嚼头的。

那人猛地推开车门。"不要！"他哭喊着说，"别伤害我！放……放过我吧！"

他逃到什么地方躲了起来，把车留给了我，真是个好人。

我从车上一把扯下车门，掰下拉手，塞进了嘴里。

真好吃。清凉爽口的铬的味道。

接着我在车门上咬下了一大口，嘎吱嘎吱地嚼了起来。我的牙齿又大又利，就像刀片一样，吃起金属来毫不费力。棒极了——真皮的汽车内饰吃起来格外好滋味。我吃完车门，伸手到车里扯出了一个座椅。

我一边吃一边从嘴里往外吐黄色的泡沫橡胶。真皮很好吃，但坐垫里的橡胶有点儿发干，就像没加奶油而且还受了潮的爆玉米花。呸！

就在我扯出方向盘的当儿，听到了警笛声。

啊哦。

许多人包围了我，朝我指指点点。

"它在吃汽车！"有人高声惊叫。

切！我不屑一顾地想，你指望一只妖怪吃什么——米花糖吗？

警笛声越来越近，警车从四面八方向我赶来。

"让开，"大喇叭里传来一个声音，"向后退，让开。"

我心想，最好还是离开这儿吧。于是我扔掉正在啃着的方向盘，跑了起来。人们惊叫着四下里散开。

"拦住它！抓住这只妖怪！"

尖锐刺耳的警笛声划破空气，响成一片。如果被他们抓住，我肯定会被关起来——只怕还会更惨。

一定要离开这里，要躲起来。

我在人群中费力地走着，向城市的边缘走去。

这时，我看到了她——蕾茜。成群的人们都是从我身边跑开，只有她向我迎了过来。

我嗥叫一声，想叫她的名字。她一把抓住我黏糊糊的手臂，拉着我冲出了人群。

她带着我穿过一条小巷，甩掉了那群人。我想问她这是去哪儿，但心里知道自己说不出话来，吼叫反而可能吓坏了她。

我们跑啊跑啊，跑个不停，一直来到城外的树林边。蕾茜把我拉进林子里，一直往里钻。

她这是想把我藏起来，我满怀感激地想道，恨不得能说出感谢的话。

我跟着蕾茜跑上一条窄窄的小路。小路又到了尽头，我们钻进了灌木丛里。

终于，我们来到一所小小的房子面前，树木和藤萝将它隐藏得很深，就算是近在眼前也很难发现它。

一个藏身处，我心想，蕾茜是怎么找到这个地方的？

不知道里面有没有什么好吃的东西，我又饿了。

现在要是有两辆脚踏车吃吃，感觉一定不错，我心想。

蕾茜推开房门，招手叫我进去。

我走进屋里，黑暗处走出两个人来。

不，啊呀，不要。

可别是他们。

然而正是他们。

那两个黑衣人。

其中一人说话了。

"谢谢你把他带来，"他说，"任务完成得不错。"

19　我被出卖了

嗷——呜——

我双臂狂舞，暴跳如雷。

蕾茜出卖了我!

我要离开这儿——赶快。

我向门口冲去，但是他们向我撒开了一张网。

他们用力拉网，我被网住了。

砰的一声，我沉重地倒在地上。那两人在我上方把网收紧。

我用尽全力吼叫着，挣扎着，但就是出不去。他们用网将我捆得牢牢的。

"放开我!"我想尖叫着对他们说。我用爪子撕、用牙咬那张网，但它不知是用什么东西做的，我根本弄不断那细细的绳子。

我又是撕，又是踢，就这样挣扎了好久，但无论怎样都挣脱不开。到最后我累了，仰面朝天地躺在地板上。

蕾茜和那两个黑衣人俯视着我，一派镇定自若的样子。

我急切地想说出话来，不停地尝试着。

"你怎么可以这样对我?"我想问蕾茜，"我们不是朋友吗?!"

除了几声或高或低的嗥叫，我什么都没说出来。蕾茜低头看着我，根本没明白我在说什么。

两个黑衣人端着胳膊抱在胸前，面带讥笑地看着我。

"你们是谁?"我想问他们，"你们想干什么？我到底怎么了?"

没人回答我。其中个子高一点儿的那人说道："好了，把他锁到后面去吧。"

我再次吼叫，极力抵抗，但黏湿的庞大身躯还是被他们三人一起在地板上拖了过去。他们把我推进屋子后部的一个小房间，然后锁紧了房门。

房间里好黑，只有一扇小窗，上面装着铁栏杆。

我想到，我可以吃掉这些铁条，如果够得着的话。

但那张网将我捆得死死的，我躺在地上一动都不能动。

我静静地透过窗户看去，天色已经变暗，夜晚降临了。

　　我知道，我什么事都做不了，除了睡觉——睡一觉，
希望醒来的时候重新变成人。

20 十四岁的囚犯

我虚弱地清醒过来，胃好痛。

天哪，我心想，我昨天吃什么啦？好像胃里塞着一大块铁似的！

然后我才想起来，我的胃里可不就是有块铁吗！

哦，没错，我拿一辆小车当了点心。妈妈总是教训我，不要吃太多的点心。

我得记着再也不要那样了。

我坐起来，检查自己的身体。

哟，好了，我又是人了。

真是叫人松了一口气。

但我这回又是谁呢？

我细胳膊细腿，两只脚板耷拉着，大得和腿不相称。

　　但至少它们没那么大，没有大得像妖怪。我又恢复一个男孩子的样儿了，不过还不是过去十二岁的样子。

　　估计我现在大概十四岁。

　　得了，我心想，这倒也比当妖怪好。

　　好得多啦。

　　但我发现，我的人还在林中小屋里，还是一名囚犯。

　　那两个黑衣人到底还是抓住了我。

　　他们想干什么？他们想怎么处置我？

　　我站起来拉了拉门，锁着的。

　　看看窗户，想冲破那些铁条是不可能的。

　　我被关起来了。

　　钥匙开锁的声音响起，他们来了！

　　我蜷缩在房间的角落里。

　　门被打开，蕾茜和那两个人走了进来。

　　"马特？"蕾茜叫道，看见了角落里的我，向我走了几步。

　　"你们想干什么？"我问。

　　从我嘴里吐出来的不是吼叫，而是话语，这真是太好了。

　　"放我走！"我大叫。

　　黑衣人摇头。

　　"我们不能那样，"矮一点儿的那个说，"不能放你走。"

他们离我更近了，紧紧地握起了拳头。

"不!"我高声叫嚷，"别过来!"

高个儿用力关上了房门，他们全都向我逼了过来。

21 真相大白

他们慢慢地向我走近，我狂乱地在房间里东张西望，想找条路逃出去。

这些人挡在我和门之间，除了那儿，再没有别的出路。

"我们不想伤害你，马特，"蕾茜柔声说道，"我们想帮助你，真的。"

两名黑衣人又向我迈了一步，我颤抖着向后退去。看他们的神气，绝对不是想帮我。

"别害怕，马特，"蕾茜说，"我们要和你谈一谈。"

她在我面前坐了下来，想让我相信真的用不着害怕。

而那两个人一左一右，守在她的两边。

"告诉我，我到底是怎么了。"我厉声说道。

蕾茜清了清嗓子。"你被困在了'曲界'里。"她解释说。

好像这下我就会明白似的。

"噢，原来是曲界呀，"我不当真地说，"我就知道有古怪。"

"别嬉皮笑脸的，"个子矮的那人厉声喝道，"没跟你开玩笑，你给我们惹了好大的麻烦。"

蕾茜示意他安静："安静，韦恩，让我来吧。"

她向我转过头来，温柔地问道："你不知道曲界是什么，对吗?"

"不知道，"我回答道，"但我知道我不喜欢它。"

"你在客房睡觉的时候，掉进了现实世界的一个洞里。"她说。

她越说我越觉得糊涂："现实世界有一个洞——就在客房里?"

她点了点头。"你在一个现实世界里睡着，然后在另一个现实世界中醒来。在那之后，你就被困在了这个洞里，现在不管你什么时候睡着，现实和非现实都会被你改变。"

"啊，那就快制止它!"我大声道。

"我要制止你!"高个儿威胁地说。

"布鲁斯——拜托。"蕾茜严厉地说。

"那么，这些和你又有什么关系?"我问。

"你破坏了现实世界的规律，马特，"她说，"你的每一次改变，都是对现实世界规律的破坏。"

"我不是故意的!"我辩解道，"我从来没有听说过什么现实世界的规律! 我是无辜的!"

蕾茜试着安慰我："我知道你不是故意这样做的，但这不重要，事情已经发生了。你每换一个身体，都改变了许多人的现实和非现实世界。如果你一直这样变个没完，就要天下大乱了。"

"你不明白!"我大叫起来，"我不想这样! 只要能停止，叫我做什么都可以! 我只想恢复正常的生活!"

"别担心!"韦恩咕哝着说，"我们会阻止这一切的。"

"我们是'现世特警'，"蕾茜对我说，"我们的任务是维持现实世界的秩序。马特，我们一直想追上你，很不容易，因为你一直不停地变换身份。"

"可是，为什么?"我问，"你们想怎么办?"

"我们必须抓住你，"蕾茜说，"不能让你破坏现实世界的规律。"

我飞快地动着脑筋："是那间客房搞的，对吗? 因为我在客房睡觉，这一切才会发生?"

"嗯……"

"我再也不到那间客房去睡了!"我保证地说，"能不能变回原来的样子，我也无所谓。这个瘦巴巴的十四岁身体还不算差劲。"

蕾茜摇了摇头。"这样做已经来不及了，马特。你被困在那个洞里，在不在客房睡已经不重要。只要你一睡着——然后醒来——你就会改变现实，不管你是在哪里。"

"你是说——我再也不能睡觉了？"

"不完全是这样。"蕾茜扫了那两人一眼，然后将一双蓝色的眼睛盯在我身上。

"我很抱歉，马特，真的。你看上去是个好人。"

一股凉气沿着我的脊梁骨从下往上蹿。"你……你想说什么？"

她拍了拍我的手。"我们没别的办法，马特。我们得让你睡过去——永远不再醒来。"

22　曲界里的死亡威胁

我满怀恐惧地瞪着她看。

"你……你们不能这样!"我话都说不流利了。

"哎,能的,我们能的。"韦恩说。

"我们会做到的。"布鲁斯接着说道。

"不!"我大喊一声,跳起来就往门口冲。但布鲁斯和韦恩早有防备。他们抓住了我,将我的胳膊拧到背后。

"你哪里都去不了,小子。"韦恩说。

"放开我!"我尖声叫嚷。

我拼命地乱扭乱动,但现在的我再也不是那只巨大的妖怪了。我只是一个骨瘦如柴的少年——不是布鲁斯和韦恩的对手。就连蕾茜,要是她愿意的话,只怕也能打败我。

两个家伙推了我一把,我撞到了房间里面的墙上。

"我们稍后会回来，"蕾茜说道，"别太担心了，不会有什么痛苦的。"

他们离开了房间，我听到钥匙在锁孔里转动的声音。

我又被锁起来了。

我在房间里到处寻找逃生之路。它完全是空的——没有一件家具，连张椅子都没有。只有空荡荡的四面墙、一扇紧锁的门和一面装着铁条的窗户。

我推开窗户，用力摇晃铁条，盼望着它是松的，可是它纹丝不动。

就像一间牢房一样，由现世特警看守着。

我把耳朵贴在门上仔细听。蕾茜、布鲁斯和韦恩的谈话声从另一个房间传来。

"要给他喝昏睡剂，"韦恩说，"一定要确保他把整杯都喝下去，不然他还是会醒的。"

"可是如果他吐出来了呢？"蕾茜问，"如果他不咽下去呢？"

"我保证让他咽下去。"布鲁斯把握十足地说。

哎呀！接下来的话再也听不到了。我发狂似的在房间里乱走。

他们打算让我喝一种昏睡剂！让我永远不会醒来！

之前，我一直麻烦缠身。曾经一度，高中的生活让我提心吊胆，后来变成妖怪，这事也确实骇人。可是，直到现在，现在我才是真的要完蛋了。

我暗下决心，必须想办法摆脱这个糟糕的局面！可是，怎么做呢？怎么做呢？

然后，我心头一亮。以前我是怎么解决麻烦的呢？

我睡着了，麻烦也就不见了。

没错，我醒来时总是面对一个新的、更坏的处境，但现在的情况已经不能再糟糕了！

我暗暗盼望着，也许，如果我睡着了，会在另一个地方醒过来，这样就可以逃出去了！

我又走了几步。

唯一的问题是——我怎么可能睡得着？现在，我心里害怕得要命！

不管怎样都必须试一试。于是我躺在地板上。没有床，没有枕头，没有毯子，阳光从铁栏封住的窗户里射了进来。

想睡着不是一件容易的事。

你能行的，我鼓励自己。我记得，妈妈——我真正的妈妈——总是说，我在飓风里也睡得着。没错，我睡觉的本事大着呢。

我想念妈妈。我没有见到她，好像已经有很久很久了。

如果能重新见到她，该有多好啊，我一边这样想着，一边闭上了双眼。

在我很小的时候，她总是哼着歌哄我睡觉。我回忆起她唱的催眠曲，唱的是一匹可爱的小马驹……

我轻轻地为自己哼着歌，不知不觉中，慢慢地睡着了。

23　逃出生天

我睁开双眼，伸手揉了揉。我是睡过去了吗？

是的。

我在哪里？

看看上方，空白的天花板。

看看周围，空荡荡的墙壁。

还有一道门。

一扇窗，装着铁栏杆。

"不！"我绝望地大叫起来，"不！"

我还在那个房间里，在树林中的那幢房子里。

我还是一个被关押的囚徒。

我的办法失败了。

现在该怎么办？

"不——"

我愤怒极了、绝望极了、害怕极了，狂暴地乱蹦乱跳。

　　计划失败，我再也想不出别的办法，不知道该怎么办好。

　　这回我明白，没有生路了。

　　我完了。

　　我听到另一个房间里传来蕾茜和那两个人的声音。他们已经准备好了昏睡剂。

　　他们要让我永远醒不过来。我再也见不到妈妈了，还有格雷格和帕姆。

　　他们怎能这样对我？这不公平！

　　我没做什么坏事，再怎么样，我都不是故意的！

　　我越想越生气，不由得放声大叫："不——"

　　声音听起来很奇怪。

　　我又叫了一声，这一次没那么响了。

　　"不——"

　　我心里想说的是"不"，但听到的却不是这个。

　　我听到的是吱吱的叫声。

　　"不！"我又说了一句。

　　"吱！"听到的却是这个。

　　这是我的声音，但这不是人的声音。

　　我看了看自己，这件事一直忘记做了。一发现自己还被关在这里，我就害怕极了——忘记自己可能已经改变。

我确实是变了。

我个头很小，大约八英寸高。

还有细小的手掌、灰色的毛和一条蓬松的尾巴。

我是一只松鼠！

我的眼睛向窗户看去。现在，我可以轻松地钻过铁栏杆。

一刻也没有耽搁，我蹿上窗台，从铁条间钻了出去。

我自由了！

哟嗬！我做了一个小小的松鼠空翻，庆祝胜利。

然后我用尽力气，在树林里飞跑起来，找到了通向城里的路。

我小小的松鼠爪儿迈着细碎的步子，跑在市区里，好像花了很长时间。现在对我来说，短短的距离也觉得比以前长。

市区里很安静，一切都很正常，看不出曾经有个妖怪迈着沉重的脚步，闯上街头大嚼汽车的样子。

大概是那一个世界已经消失了吧，我想。

这是一个新的现实世界，在这里我是一只松鼠。

至少还是一只清醒的松鼠，胜过当一个永远醒不过来的男孩。

我闻了闻空气。对于气味，我有了神奇的感觉，我觉得自己好像在市中心也能闻到自己家的味道似的。

我在街上跑着，把妈妈经常叮嘱的话忘在了脑后。

过马路要向两边看。

一辆车从街角驶出来，司机看不到我。

巨大的黑色轮胎飞快地向我逼近，我急急忙忙地想避开。

但是来不及了。

我闭上眼睛，心里想道，这就是我最后的下场吗？

倒毙街头成了轮下鬼？

24　一只松鼠的烦恼

嘎吱！

司机猛地踩下了刹车，汽车停下来，发出尖锐刺耳的噪声。

随后是安静无声。

我睁开眼睛，一只车轮离我好近啊，都碰到我的耳朵了。

我从车轮下抽身出来，穿过了马路，那辆车开走了。

我来到人行道上，一条狗站在院子里看家，朝我汪汪地吠叫起来。

嗬，真险哪！我绕过它，爬到一棵树上，它狂叫着追了过来。

我一直待在树上，直到那狗叫累了，随着主人一声召唤，轻快地跑走了。

我溜下树，一溜烟穿过院子。

回家的路上，我一路躲躲闪闪，不停地避开汽车、脚踏车、人、狗、猫……

最后，我终于看到了自己的家，简简单单的一幢油漆剥落的正方形房子。

可是在我眼里它是那么美丽。

我有了一个新的计划，一个可以永远摆脱这件荒唐事的法子。

但愿吧。

我知道，在客房睡了一晚后，所有麻烦就开始了。现实世界的洞就在那里——蕾茜说的。

但从那以后——自从我在客房睡过之后——我再也没有在自己的卧室里睡过，一次都没有。

总有什么事阻止了我。不是有别人在那儿睡，就是它被派了别的用场。

在我正常生活的时候，一直都是睡在自己的房间里的，那个小小的旧房间，我从来没想到，有朝一日居然会想念它。

我下定决心，一定要回到我的房间里去睡觉。也许这样一来，一切都会恢复正常，回到过去的老样子。

我知道，这听起来好像有点儿犯傻，但值得一试。

而且说到底，我也想不出别的法子了。

我顺着排水管蹦蹦跳跳地上到二楼，从我房间的窗户偷偷往里望去。

没错！就是我原来的房间，有我的床，和所有别的东西！

但是，窗户是关着的。我伸出小小的松鼠爪子推了推，很不走运，它是关着的。

我把整幢房子所有的窗户试了个遍，全都推不开。

肯定有别的办法可以进去。也许可以试着从门里溜进去。

有人在家吗？我往客厅的窗户里看去。

妈妈！还有格雷格和帕姆！

他们回来了！

我兴奋极了，连蹦带跳，叽叽啾啾地叫着。

这时，大个儿溜溜达达地走进了房间。

啊，对了，我把大个儿忘了。这个时候我并不是那么想看到它。

大个儿顶喜欢追松鼠了。

它立即就发现了我，叫了起来。

帕姆抬头看过来，微笑着向我一指。

好哇！快来抓我，帕姆，打开窗户放我进去！

她轻轻推开窗。"过来吧，小松鼠！"她呢喃着说，"你好可爱哦！"

我想进去，但又有些迟疑，大个儿叫得像发了疯一样。

　　"把大个儿关到地下室去！"帕姆对格雷格说，"它吓着松鼠了。"

　　现在我是一只松鼠，她对我倒是比当她弟弟的时候好得多。不过现在我先不想这个。

　　格雷格把大个儿带进了地下室，关上了门。

　　"来呀，松鼠，"帕姆细声细气地说，"现在安全啦。"

　　我蹦进屋子里。

　　"看哪！"帕姆叫了起来，"它想进来呢！好像被人驯养过一样！"

　　"别让它进来！"妈妈警告说，"这种小动物都带狂犬病毒！至少身上也有虫子。"

　　我尽力不把这话放在心上。真难过，自己的妈妈这样侮辱我。

　　我一心只想着上楼。如果能到自己房间，再睡上一觉，该好多啊，只要几分钟就行……

　　"它想逃！"格雷格大叫起来，"抓住它！"

　　帕姆向我扑过来，我一跳，躲开了。

　　"如果这只松鼠在家里什么地方躲了起来，帕姆，"妈妈再次警告，"你可就要倒霉了。"

　　"我会抓住它的。"帕姆保证说。

我不会让你得逞的，我在心里暗暗发誓。

帕姆在楼梯上拦住了我，我转身冲进厨房。

帕姆追过来，关上了厨房门。

我被关在里面了。

"过来，小松鼠，"她叫道，"过来，小家伙。"

我甩甩尾巴，东张西望地想找出路。

帕姆一点儿一点儿地向我靠近，不想把我吓跑。

我一溜烟钻到桌子底下，她猛地俯下身子，但没抓住我。

不过，我在乱跑乱窜的当儿，被她堵在了墙角。

然后她一把将我抓在手里。

她抓住我的脖子，把我的四条腿捉在一起。"抓住了！"她高声叫道。

格雷格砰地推开门，妈妈站在他身后。

"把它拿出去——马上！"妈妈喝道。

"我可不可以养着它，妈妈？"帕姆恳求地说，"它当宠物太可爱啦！"

我打了个冷战。我，当帕姆的宠物！好可怕的噩梦！

但这是我回到自己卧室的最好机会。

"不！"妈妈不同意地说，"绝对不行，把它拿到屋外去——快点。"

帕姆不高兴地扁着嘴。"好吧，妈妈，"她伤心地说，

"听你的。"

她拿着我走出厨房。"妈妈真坏,"她故意大声说,好让妈妈听到,"我只是想抱你一会儿,摸摸你嘛,有什么不好的?"

才不好呢,我心想。这个世界上我最不能接受两个人摸我,第一个是格雷格,第二个就是帕姆。

她打开大门,说道:"再见,可爱的小松鼠。"

然后她关上了门。

可是她并没有放开我,而是将我紧紧地抱在怀里。

然后溜回了楼上自己的房间。

"别担心,松鼠,"她悄声说,"我不会留你很久的,就一小会儿。"

她从床底下拖出一个东西,原来是一只旧的仓鼠笼子。

她打开笼门,把我塞了进去。

"不!"我大声抗议,但发出的只是吱吱尖叫。

她锁上了插销。

我又被关起来了!

25　目标！我的房间

　　被塞在这只破笼子里，又不能说话，现在我可怎么办？我心急如焚地想。

　　怎么才能回到我过去的房间里呢？

　　接着我又想到了一件不好的事。

　　如果我在这只小小的仓鼠笼里睡着了——醒来以后又是个什么局面？

　　帕姆的大脸出现在笼子上方。"你饿吗，小松鼠？我给你拿些果仁来。"

　　她出去了一会儿。我在笼子里走来走去，努力想办法，然后却发现，我正在仓鼠玩的转轮上跑着呢。

　　停！我命令自己，爬下了转轮。我可不想习惯这种鼠类的生活。

　　"给你，松鼠。"帕姆抓着一把果仁回到房间里。她打开笼门，把果仁撒进来。

"啊呜，好吃!"她捏着嗓门儿尖声地说。

唉，老天啊。

我吃了果仁。历尽艰难之后，我已经很饿了。不过，如果帕姆没有这么一直盯着我瞧，我吃起来一定会更开心。

电话铃响了，过了一会儿，我听到格雷格在大叫："帕姆! 电话!"

"太好了!"帕姆说了一声，跳起来跑了出去。

我坐在那里，狼吞虎咽地吃着果仁，十足一个傻瓜。足足五分钟之后，我才发现，帕姆忘了把笼门拴上。

"太棒啦!"我尖声欢呼。我第一次为帕姆不是个天才而高兴。

我用爪子推开门，偷偷摸摸向门口走去，一面听着脚步声。

平安无事，我的机会来了!

我冲出了房门，跑过走廊，来到自己的房门口。

门是关着的，我用松鼠的小身体撞上去，想把门打开。

不行，门关得紧紧的。

讨厌!

走廊另一头传来了脚步声。帕姆回来了!

我知道，要在帕姆把我重新关进笼子之前，赶快逃走。

或者是妈妈用扫帚赶我之前。

我急匆匆跑下楼梯，来到客厅。

窗户还开着吗？是的。

我冲到沙发后面，沿着墙，钻到椅子下面……

然后我跳上窗台，跳到了院子里。

我爬上一棵树，蜷伏在树枝上休息。

当松鼠是进不了我的卧室了，那么我现在能做的只有一件事。

我必须再睡一觉。这一次，醒来以后我可能又是人了。

因此我一定要进入以前的房间，不然的话，我就惨了。

很惨。

现世特警在追我，他们发现我是迟早的事。

那样的话，我就彻底完了。

26　胖小孩的奋斗

哗啦！砰！

哎哟！

我重重落在地上，这样醒来可真叫人吃不消。

这一次我是谁？

太好了，我又是一个十二岁的男孩了。

不过还不是过去那个我。

现在我是一个非常非常胖的男孩，十足一个小胖子。

难怪那根树枝被我压断了。

但这没关系。我又是人了，可以说话了。

也许这回就能进入我以前的房间。

我径直走到大门前，扭了扭门把手。

锁上了。

于是我就敲门。

不知道是谁来应门，但愿里面不是一家子妖怪。

门打开。

"妈妈！"我叫了起来，看到她我太高兴了，"妈妈—— 是我，马特！"

妈妈看着我。"你是谁?"她问道。

"马特！马特啊，妈妈！你的儿子!"

她斜眼看着我。"马特? 我不认识什么马特。"她说。

"你当然认识了，妈妈！你不认得我啦? 还记得在我小时候，你给我唱的催眠曲吗?"

她怀疑地眯起了双眼。

格雷格和帕姆出现在她身后。"是谁，妈妈?"帕姆问。

"格雷格！"我喊道，"帕姆！是我，马特呀！我回来了!"

"这个小孩是谁?"格雷格问。

"我不认识他。"帕姆答道。

啊，不要，我心想，别让这种事情发生，我已经快要成功了……

"我需要到以前的房间里去睡一觉，"我乞求着说，"求你了，妈妈。让我上楼，回我的房间睡一觉，这可是人命关天的大事啊!"

"我不认识你，"妈妈说，"从来不认识什么马特。你

111

找错人家了。"

"这小孩有点疯疯癫癫的。"格雷格说。

"妈妈！等一下！"我叫道。

妈妈在我面前砰的一声关上了门。

我转过身，走上院子里的小道。现在怎么办？我不知道。

然后我停了下来，向街上看去。

有三个人正向我跑来。是我最不想看到的那三个人——蕾茜、布鲁斯和韦恩。

现世特警！他们找到我了！

27 偷偷摸摸爬回家

"他在那儿!"蕾茜指着我,三人向我加紧跑了过来。

"抓住他!"

我转身就跑,但费了很大力气也跑不快。

为什么这一次醒来正好是个胖子呢?

我有个优势:我对这一带了如指掌,而他们不是。我穿过院子,到了隔壁人家。

回头看去,现世特警已经接近了,离我只有半个街区。

我躲到了邻居家的房子背后,然后从后面又绕回了自己家。

车库背后有一排茂密的矮树,我屏住呼吸,躲在了矮树的后面。

片刻之后,三个人脚步飞快地从我面前跑过。

113

"他到哪里去了?"我听到蕾茜在问。

"一定是跑上另一条路了,"韦恩说, "快追!"

他们跑远了。

呼——真险。我长长地嘘出一口气,又可以呼吸了。

暂时安全了。但现世特警还是会找到我的。

我得回到过去的房间里。但妈妈是不可能放我进去的,她压根儿把我当成了疯子。

只有一个办法,我得闯进去。

我必须等到晚上,等大家都睡着。

然后找个打开的窗户——不行的话就砸碎一扇窗户。

我要潜入自己的房间,在里面睡上一觉。但愿没有别人睡在里面。

现在,我得等待夜晚降临。于是我藏身在矮树后面,尽可能地躺着不动。

同时我还努力地保持清醒,不想再睡过去了。

如果睡着了,天知道又会变成什么?也许永远进不了自己的房间。

时间过得真慢。终于,天黑了,街道上安静下来。

我从矮树后爬起来,躲了那么久,胳膊和腿都痛了。

我看看房子。除了妈妈,大家都睡了。她房间的灯还亮着。

我一直等到她关灯,然后又等了半个小时,等她完全睡熟。

然后，我静悄悄地绕到屋子前面。我的房间在二楼。

我知道，妈妈已经把所有的门都关上了，我知道她还会关上一楼的每一扇窗户。每天晚上她都会做好这些事。

我得爬上二楼，然后从我房间的窗户钻进去，这是唯一的办法。

得从我窗户旁边的那棵树爬上去，然后伸手搭在排水管上。

接着就要紧紧抓着排水管保持平衡，爬到窗户外面那条伸出去的窄边上。

如果能成功地爬到窗边上，就有可能打开窗户，偷偷溜进屋里。

不管怎么说，这就是我的计划。我越想越觉得这主意不高明。

那就不要再想了，只管去做，我下定了决心。

我踮着脚尖，伸手去够最低的那根树枝。它离我还有一点儿距离，我必须跳起来。

我弯着腿，跳了一下。手指碰到树枝，但没有抓住。

如果我不是那么胖就好了！我几乎跳不起来。

我不会放弃的，我暗暗发誓，如果这个办法不行，我就完了。

于是我深深地吸了一口气，鼓足了全身的劲儿。

我弯下腰，奋力一跳。

好！抓住了！

我在树枝上吊了一会儿，扭动身体，又踢了踢腿。这两条腿好重啊！

我屈起身子，两只脚撑着树干向上挪，然后哼了一声，用力翻身上了树枝。

嗬，真不容易。

上面的树就好爬了，我一直爬到窗边的树枝上。

我抓着头顶的一根枝条，站了起来。排水管正好在可以够得着的地方，它千万要支撑得住我才好。

我抓住了排水管，试着把脚往窗边上放。

没踩中。

我已经是用手指尖抓着排水管了！

向下看去，地面好像在很远的地方。

我紧紧咬住嘴唇，免得自己尖叫起来。

我气喘吁吁地挂在半空。一定要踩到窗边——要不就会掉下去。

我蠕动着又往左边挪了挪，设法离窗边更近一点儿。

咔啦！

这是什么声音？

咔啦！

是排水管！它快支撑不住了！

28　我爱你，我的房间

　　更响的一声：咔啦！

　　我觉得身子往下一沉。排水管就要倒了。

　　我集中了全身的力气，紧紧抓着排水管，尽量地把一只脚伸出去，脚尖碰到了窗边。

　　一只脚上去了，然后是另一只。

　　成功了！

　　我蹲在窗边上，一只手扶着排水管保持平衡。

　　我没有动，先忙着调匀呼吸。夜晚很冷，但我却感觉到脸上汗水直流，于是用另一只手擦了擦。

　　透过窗户看去，房间里很黑，有人吗？

　　看不出来。

　　窗户是关上的。

　　千万不要上锁，我暗暗祈祷。

如果进不去，我可就要困在这个窗边上，想下也下不去了。

当然了，除非摔下去。

我小心地推了推窗板，它掀了起来。没锁!

我将窗户推开，探身进屋，然后砰的一声跌到了地板上。

我顿时浑身发紧。有人听到了吗?

没有声音，所有人都睡着了。

我爬起身来。我的床就在那儿! 我以前的床! 上面没有人!

好高兴啊，我真想大跳大叫，但没这么做。

还是明天再庆祝吧，我心想，等到计划奏效的时候。

我脱掉鞋，溜上床去，然后舒服地叹了一口气。干净的床单!

回来真好。一切都几乎恢复正常了。

我睡在自己的床上，妈妈和帕姆还有格雷格，睡在他们各自的房间里。

没错，我的样子和自己一点儿都不像，我还没有回到以前的身体里。

还有，我的家人也都不认识我了，如果现在看到我，会把我当成小偷，要不就是疯子。

我先不去想这些，明天才是我要想的。

　　明天会发生什么事呢？我睡意蒙眬地想着。

　　醒来之后我会是谁？我的生活会恢复正常吗？

　　还是会看到蕾茜和那两个家伙站在我面前，准备向我扑过来？

　　想知道只有一个办法。我闭上眼睛，迷迷糊糊地睡着了。

29　妈妈，求你了！

什么东西落在脸上，暖暖的，是阳光。

我睁开眼睛。这是在哪儿？

看看四周，我身处一个狭小局促、乱哄哄地堆满杂物的房间里。

我的房间！

我的心飞快地跳动着。我的计划奏效了吗？我恢复正常了？

我迫不及待地想知道结果，一掀被单，从床上跳了起来，冲到浴室门后的镜子面前。

我又是我了！

"哟——嗬！"我高声欢叫。

大个儿用鼻子顶开门，慢慢踱进房里，先是朝我呜呜低叫，然后放开喉咙狂吠。

120

"大个儿!"我欢快地叫了一声,弯下腰抱住它。它张嘴就想咬我。

乖乖的大个儿!

"马特!"我听到妈妈的声音在厨房里喊我,我真正的妈妈的声音。

"马特!别惹大个儿!别捉弄它!"

"我没有捉弄它!"我朝她吼了回去。她总是怪我这个,怪我那个。

但是,我不在乎!回到家里让我高兴极了!

我飞快地下了楼,去吃早餐。

他们都坐好了。妈妈、帕姆、格雷格,就和我离开时一个样。

"怪胎来到了厨房,准备吃早餐,"格雷格对着录音机说,"怪胎是吃什么的呢?让我们观察观察,寻找答案。"

"格雷格!"我唱歌似的叫了一声,抱住他的脖子,搂紧了他。

"喂!"他一把推开我,"放开我,怪胎!"

"帕姆!"我又给了她一个大大的拥抱。

"你犯什么病啦,傻瓜?"她没好气地说,"我知道了——你昨晚被外星人绑架了!对不对?他们给你洗脑了!"

我没理会她的挖苦,拍拍她头上的钢丝球头发。

"住手!"她惨叫一声。

我给了妈妈一个最大的拥抱。

"谢谢你,宝贝儿。"她拍拍我的背。至少她还是支持我的,偶尔吧。

"吃点麦片,马特,"她说,"我快迟到了。"

我幸福地叹了一口气,给自己弄了些麦片粥。一切都恢复了正常,甚至没有人发现我曾消失过。

我再也不进那间愚蠢的客房了,我在心里发誓。从此以后,我要永远待在自己的小房间里——不管它变得有多挤。

啪!什么东西刺了我的后脖颈儿一下。

我转过身去,格雷格正咧着嘴朝我笑,一只手里拿着一根吸管。

他向录音机说道:"如果朝怪胎发射一团纸,会发生什么事?他会如何反应?"

"我打赌,他会哭得像个小娃娃。"帕姆说。

我耸耸肩,回头继续吃麦片粥。"你骚扰不了我,"我说,"我太高兴了。"

帕姆和格雷格面面相觑。帕姆用一根手指在脑袋旁边画圈子,这是一个暗号,表示"他是个傻子"。

"怪胎身上发生过什么不可思议的事情。"格雷格宣布。

"嗯，"帕姆表示赞同，"怪胎变得不一样了。"

那一天的学校生活充满了乐趣。重新回到七年级实在是太好了，比高中容易得多。

我们在体育馆里踢足球，我甚至还进了一个球。

但是，就在我去上最后一节课的路上，看到的东西让我顿时停止了心跳。

一个女孩走在走廊里，跟我差不多年纪，长而密的金发扎成了一条马尾巴。

啊，天哪！

蕾茜！

我吓呆了。怎么办？

现世特警还在追捕我吗？我已经把一切都弄好了！他们再也用不着让我昏睡了！

得尽快离开这里，我一边想着，一边准备拔腿就跑。

这时，那个女孩转过身来，朝我灿然一笑。

不是蕾茜，只是一个有金色长发的女孩。

我深吸了一口气，想道，我要放松一点儿。

结束了，就当那是一场噩梦。

女孩走远了，我去上自己的最后一节课，再也没有发现蕾茜、布鲁斯和韦恩的影子。

我一路吹着口哨回家,想着家庭作业真是好简单。

走进屋里,妈妈叫了我一声:"嗨,马特!"

"妈妈?"看到她我很惊讶,我回到家时,她一般都在上班,"怎么这么早就回来了?"

她朝我微微一笑。"我请了一天假,"她解释道,"在家里有点儿事情要忙。"

"哦。"我耸耸肩,打开了电视。

妈妈关掉电视。"马特 —— 你不觉得好奇吗?"

"好奇?为什么?"

"我这一整天都干了什么呀?"

我向客厅里扫视了一圈。"你干了什么?"

她又笑了,好像有什么事让她兴奋着呢。

"你忘了吗?"她说,"你的生日就在这个星期!"

确实,我是忘记了,才发生过那么多稀奇古怪的事件呢。

当你为了活命而狂奔的时候,是不会想到什么生日的。

"我有一个惊喜要送给你,"妈妈说,"上楼来,给你看看。"

我跟着她上了楼,开始兴奋起来。是什么样的惊喜呢?

为我的生日而精心准备,不太像妈妈的风格。这个惊喜肯定非常棒，我心想。

她停在我房间的门口。

"那个惊喜是在我房间里吗?"我问。

"看吧。"她推开了门。

我向屋里看去。房间里堆满了纸箱，大大的纸箱从地面一直堆到天花板。

哇塞!

"全都是给我的礼物吗?"我问道。

妈妈哈哈笑了起来。"礼物? 这么多箱子? 当然不是啦!"她简直乐坏了。

我就知道，哪有这样的好事。

"嗯……那惊喜是什么?"我问。

"马特，"她终于说了出来，"我一直在想你那天说的话，然后认为你是对的。原来的房间对你来说太小了，所以我决定把它当成储物间。"

"你……你说什么?"

"没错。"她走进了走廊里。

然后，她推开客房的门。

啊，天哪，不会吧?!

不可能，不是这样的。

"生日快乐，马特!"妈妈快活地大叫，"欢迎来到自己的新卧室!"

"呃……呃……呃……"我说不出话来。

我的床，我的衣橱，所有的海报和书——都已经安放在客房里。

"马特？有什么问题？"妈妈叫道，"这不就是你想要的吗？"

我嘴巴张得老大，尖厉地惨叫起来。

爬虫召集令

1 塔莎！我一定要报仇！

晚上八点刚过，我蹑手蹑脚走出卧室，悄悄下了楼。离地面还有三级楼梯，一堆要洗的衣物绊倒了我——我头下脚上地滚了下去。

胳膊肘和膝盖重重地磕在地上，但我一声都没吭。我已经习惯了，摔跤对我来说是家常便饭。

我随即跳了起来，往前门廊里张望。爸爸妈妈听到动静了吗？

书房里的电视还开着，他们在看天气频道。他们可以一连几个小时地看天气频道。

天气有什么好看的？

电视里的女声在说新斯科舍的风寒指数。我穿上蓝色羽绒服，静悄悄向前门溜去。

片刻之后，我出了门，沿着人行道一路小跑。我低着脑袋，一直躲在阴影里，向学校走去。

别误会，我可不是什么问题少年，不会经常晚上从家里溜出来。事实上，爸爸妈妈一向都教育我要勇敢，要有冒险精神。

我从来没有试过出门却不告诉爸爸妈妈去哪里，但今晚不一样，今晚我有一个特别任务。

这个任务名叫：报——仇！

在街角拐弯的时候，我脚下一滑，赶紧抓住路灯才没有摔倒。周末下的雪大部分都已融化，但人行道上还残留着一块块滑溜溜的冰块。

我敞着羽绒服，小步跑过马路，经过相邻街区的一幢幢小房子。风从身后吹来，本来热烘烘的脸颊上感觉凉凉的、湿湿的，好像又要下雪一样。

喂——别再去想什么天气了！

今晚，瑞奇·比默尔——就是我啦——心里有更重要的事。今晚我计划搞一点小侦察，然后再干一件小坏事。

过了一会儿，我走在学校旁边空无一人的运动场上。Harding Middle School（哈丁中学），空旗杆旁边的牌子上写着这些字样。但是有人用喷漆把每个单词的第一个字母都涂掉了，所以上面看起来就成了：arding iddle chool.

我们对哈丁中学有强烈的自豪感。

其实，大部分的孩子都喜欢这所学校。它很新，充满了现代感，到处都那么干净。

我也喜欢它——如果这所学校里的某些讨厌孩子能放过我的话。如果他们都不出现在我面前，并且不再叫我瑞奇·老鼠和呆子瑞奇，那我可就过上了好日子。

也许你会觉得我有点小心眼儿。

也许你说对了！

但是，所有孩子都把我看成书呆子，一有机会就要捉弄我。

我看着教学大楼。楼体不高，长长的，而且还弯弯曲曲，像条蛇一样，一头是小学，另一头是初中。我读六年级，所以班级正好在中间。

大楼前的空旗杆上有一盏射灯，灯光从上面照了下来。在它的后面，大部分的教室都一片黑暗。八年级那边的窗户还亮着——那就是我要去的地方。

一辆车慢慢驶过，车头的灯光洒落在教学大楼前面。我急忙在一丛很高的常青树后蹲下，不想让人看到。

我伏下身子，却跌进了灌木丛里。一团又凉又湿的雪啪的一声掉在了我的头上。我打了个寒战，甩了甩黑色鬈发，把雪抖掉。

车子开走之后，我悄悄地向亮灯的教室窗户走去。落脚处软绵绵的，运动鞋发出咕唧咕唧的响声，我低头一看，脚下一片泥泞，我踩进了一条深深的车辙里。

我没有管那些烂泥，悄悄凑到低矮的窗台上，脸贴着玻璃。灯亮着是因为夜班清洁工在搞卫生，还是塔莎·麦克兰在辛勤工作？

塔莎·麦克兰，光是说起她的名字就让我牙齿发痒。

窗玻璃上雾蒙蒙的，我用力往里面看过去。没错！塔莎坐在一张靠墙的桌子边，凑在电脑前面，用两根手指打着字，长长的红色鬈发垂在键盘上。

理查德小姐，校报的指导老师，正一只手扶着椅背，站在塔莎身后。理查德小姐很年轻，长得非常漂亮。她的金发向后梳成了一条马尾辫，身穿宽松的灰色运动衫和退色牛仔裤，看上去不像老师，倒更像一名学生。

去年九月，当我报名参加校报撰稿的时候，理查德小姐对我可好了，可是后来却变得很坏，我猜一定是塔莎在背后挑拨的。

塔莎是八年级学生，所以她就自以为是个了不起的大人物。在哈丁中学，六年级生什么都不是，相信我。我们什么都不是，也许比什么都不是还差劲。

我知道，今晚塔莎和理查德小姐会为《哈丁快报》忙到很晚，因为明天是星期二，发校报的日子。

理查德小姐弯下腰，指着电脑屏幕上的什么东西。我极力向屏幕看去，看到一个大标题，下面有一张照片。

塔莎在制作《快报》的封面。

做完封面以后，她会将它存到软盘里，然后理查德小姐就会把软盘拿到大办公室的激光打印机处，打出两百份。

突然，理查德小姐向窗户这边扭过头来，我急忙蹲下身去。

她看到我了吗?

我等了几秒钟，又站了起来。塔莎还在不停地打着字，每隔几秒就停下来去按鼠标，移动屏幕上的东西。

理查德小姐走出了教室。

我打了个冷战。风打着旋儿吹过，掀动羽绒服的帽子。我头上的雪没有扫干净，冰冷的雪水沿着脖子后面流了下去。远处，有一条狗在呜呜哀叫。

快点站起来! 我暗暗催促塔莎。

快点离开教室——好让我开个小玩笑。

身后的街道上，又有一辆车隆隆地驶过。我赶紧贴在黑暗的墙壁上，尽力不让人发现自己。

当我再次靠近窗户时，房间里已经没有人了，塔莎也走了。

"太好了!"我轻声欢呼。

心脏兴奋得跳个不停，我举起双手，用力去推窗户，准备爬进去。

我知道，动作一定要快。塔莎也许只是顺着走廊到果汁机那儿去，我要在几秒钟内进入房间 —— 干我的坏事——然后离开现场。

我使劲推窗户，用上了全部力气，但窗户纹丝不动。

一开始我还以为是冻住了，但是在第四次尝试之后，它终于掀了起来。我奋力推开它——只开了一道能让我钻进去的缝。

湿漉漉的运动鞋踩在油毡地板上，滑溜溜的，还留下一串泥脚印，但我不在乎。

我无声地穿过教室，伏在电脑前，用颤抖的手抓住鼠标，移到报纸页面的最底部。

我听到了声音。塔莎和理查德小姐在走廊里说着什么。

深深地吸一口气，我急切地观察页面。

然后我打了几行字——用很小很小的字体——在封面的底部。我一边轻声咻咻地笑，一边打着：

　　　　召集爬虫。召集爬虫。如果你是一个货真价
　　实的爬虫，午夜后请致电塔莎：555—6709。

为什么我要在校报的封面上加上这一小条消息？

为什么我要鬼鬼祟祟地在晚上溜进来，冒着被抓住的危险？

为什么我非得报复塔莎不可呢？

嗯……说来话长……

2 糟糕的学校生活

几天以前，我们学校来了一个新入学的女孩，名字叫艾丽丝·坎德尔。她走进我们班，窘迫地站在教室前面，等着威廉逊小姐给她分配一个座位。

我正赶着在上课铃响之前写完数学作业。不知怎么搞的，头一天晚上我完全把这事儿忘到了脑后。

我一边在本子上十万火急地乱涂，一边抽出几秒钟，看了看新来的女孩。挺可爱的，我心想。她有一张圆圆的脸，大大的蓝眼睛，还有一头中分的金色短发。脑袋一动，她长长的红色塑料耳环就会铮铮作响。

威廉逊小姐在靠近后排的地方给艾丽丝安排了一个座位，然后叫我在那一天带艾丽丝参观学校，嗯，就是告诉她哪里是餐厅，哪里是盥洗室什么的。

我吃惊得差点儿叫出声来。为什么威廉逊小姐会挑我呢？我猜，大概是艾丽丝正好坐在我旁边的缘故。

我听到有几个同学在笑，有人低低地说："呆子瑞奇。"

我们班的孩子总是喜欢拿我开涮，但愿艾丽丝没听到。

我答应了。我很想给她留个好印象。有个新来的同学说说话挺好的，一个还不知道大家都把我当成没用鬼的人。

到了午餐时间，我带艾丽丝下楼去餐厅。我告诉她这所学校有多新，告诉她当我们刚搬进来的时候，热水管里出的是冷水，冷水管里流的是热水。

她觉得这事很搞笑。我很喜欢她笑的时候摇得耳环叮叮响的样子。

她问我有没有参加什么运动队。

"还没呢。"我说。

过一百万年也不会！我在心里说。

大家在运动场上编队的时候，队长们总是为了谁跟我一伙而吵起架来，情形是这样的：

"你要他！"

"不公平！你要他！"

"不行，你要他！上一次我们已经要过他了！"

我确实不是一个体育健将。

　　"这儿就是餐厅。"我对艾丽丝说着，领她走了进去，突然我觉得自己傻透了。我是说，这儿还能是什么地方呢？难道是音乐室不成？

　　我一走进去，就看到我的四个仇人坐在他们平时的桌子边，就在餐厅的正中央。我把他们称为仇人是因为……他们就是我的仇人！

　　他们的名字分别叫做杰瑞德、大卫、布兰达和瓦特。瓦特其实叫做理查德·瓦特曼，但大家都叫他瓦特，甚至包括老师。

　　这四个七年级的学生一贯喜欢戏弄我。不戏弄我时，他们就迫害我！

　　我不知道他们到底是怎么回事，我从来没有惹过他们，大概他们之所以喜欢欺负我，是因为我好欺负吧。

　　我拿着两只托盘，领着艾丽丝向放食物的柜台走去。"这边是热食，"我解说道，"但是除了比萨饼和汉堡包，别的没人吃过热的。"

　　艾丽丝朝我露出好看的笑容："和我以前的学校一样。"

　　"小心别去碰那些通心粉，"我警告说，"从来都没人吃，我们怀疑这些通心粉已经摆了一整年了。看到上面的硬壳了吗？谁听说过通心粉还结壳的？"

　　艾丽丝咯咯直笑。我用手把头发朝脑后捋了捋，心想

137

不知道她喜不喜欢我。

我们俩都挑了三明治和几袋薯条。我往托盘上放了一碗又红又绿的布丁和一瓶草莓猕猴桃饮料。"收款台在那边。"我告诉艾丽丝。

我向艾丽丝示范，怎么把餐券递给收款员打孔。我感觉非常好，这些有益的指点一定会给她留下一个好印象。

窗边有几张座位是空的，我用头示意一下，然后两手高高地举着托盘，在拥挤嘈杂的餐厅里向那边走去。

当然，我没能看到瓦特把脚伸了出来。

我绊了一下，向前扑倒，整个托盘飞了出去。

我倒在地上，正好看见红红绿绿的布丁弹跳着越过一张桌子，落到一个女孩的膝盖上。别的食物撒了一地。

同学们哄堂大笑，纷纷鼓掌欢呼。

"那位就是瑞奇！"有人在大声说道，"瑞奇·老鼠！瑞奇·老鼠！"

瓦特和他的三个死党开始有节奏地叫喊起来：

"呆子瑞奇！呆子瑞奇！……"

我抬头一看，发现艾丽丝也在哈哈大笑。

我恨不得立即消失在空气中。

脸上火烧火燎的，我知道，肯定已经红透了。

该怎么办？我趴在地上想道，我真是受够了。

我能怎么办呢？

3 《快报》，我的噩梦

放学以后，我向教学大楼一侧的八年级教室走去，校报编辑室设在理查德小姐的教室。

理查德小姐坐在写字台边，正在批改试卷。我走进门里，她抬起头来，皱了皱眉，然后接着改卷。

我看到塔莎在角落里的一台电脑前，一边嘴巴轻轻地动着，一边飞快地打字，专注得额头上都起了皱纹。

我走到助理编辑身边，她是一个名叫梅尔丽的八年级女生。梅尔丽有短短的棕色头发，戴着相配的棕框眼镜。她正用手指点着纸上的字，低头看一段很长的新闻。

"嗨，梅尔丽。"我说。

她抬起头，也皱了皱眉。"瑞奇——你害得我不知道看到哪里了。"

"对不起，"我问道，"今天有什么素材让我写吗?"

你可能会奇怪，为什么我要加入校报当撰稿人。这并不是因为我写作能力特别强。

哈丁中学的每个学生，都要在一年内攒够二十个学分的活动积分。这意味着你必须去参加体育活动，或者加入某个俱乐部，或者参加其他的课外活动小组。

我是绝不可能参加什么体育活动的，所以，我到校报报了名，原以为这里比较轻松。

那是因为我以前不认识塔莎。

在塔莎眼里，所有六年级生都只不过是些臭虫。只要有六年级学生走进房间，她就摆出一张臭脸，然后就开始作威作福。

她把所有的好新闻都分给了八年级学生。知道她叫我写的第一个题材是什么吗？她叫我去数运动场上一共露出了多少块泥地，写写这些地方为什么不长草。

我知道，她一心想把我踢出这间编辑室，但我还是写了这篇报道。想把泥巴地写成好文章是很难的，但我干得很卖力，我的报道有五页那么长！

她根本没有采用。

当我问她为什么时，她说："谁想管什么泥巴地呢？"

我分配到的第二个任务是采访夜班清洁工，了解夜班和日班有什么不同。

这一篇也没有采用。

　　我想退出，但又必须攒够活动积分，不然的话，六年级就不能结业，那就必须去读暑期学校，真的。

　　所以我坚持每个星期都有两三个下午去校报编辑室，向塔莎要题材。

　　"有什么给我写的吗？"我问梅尔丽。

　　她耸耸肩："不知道，去问塔莎。"

　　我走到塔莎的桌边。她在打字，显示屏映蓝了她的脸。"有素材给我吗？"我问她。

　　她一直在打字，连眼皮都不抬。"先等我打完字。"她断然说道。

　　我向后退开，转头看到理查德小姐走出了教室。有几个孩子在窗旁的桌子边聊天，我走了过去。

　　大卫和瓦特——我的两个仇人——正为什么事争论了起来。他们俩都是校报的体育记者，哈丁中学所有的体育消息都由他们写。没事干的时候他们就闲待在编辑室里，制造各种麻烦。

　　大卫个子很高，金发碧眼。瓦特又矮又胖，有一张红彤彤的脸，看着确实像个肉瘤！

　　我看到桌上有一些饼干，还有几罐汽水，于是想绕过大卫和瓦特去拿饮料。但是，瓦特拦住了我。

　　他和大卫都咧嘴笑着。"午饭吃得好吗，瑞奇？"瓦特问。

他们俩哈哈大笑，高举双手互相击了一掌。

我向瓦特怒目而视，真想把那个笑容从他脸上一把抹掉。"为什么绊我?"我感觉到脸越来越热。

"我没有啊。"他说。

大卫又笑了。

"就有!"我不依不饶，"你伸出脚……"

"不可能，"他说，"我没碰过你。"

"你是被地板上的缝绊倒了，"大卫插嘴说，"也许是那儿有气流。"

他们俩乐不可支。

真是坏透了。

我从桌上拿起一罐百事可乐，啪地打开，转身想走。

"嗨，等等……"瓦特按住了我的肩膀。

我转过身去："你干吗?"

"那罐汽水是我要的。"他说。

"真可惜，另外拿一罐吧。"我对他说。

"不行，我就要这一罐。"他伸手来抢。

我一扬手，没让他拿到。

但却失手让罐子飞了出去。

罐子从空中划过，一路洒下百事可乐，然后正正地落在塔莎的键盘上。

她发出一声尖叫，跳了起来，撞翻了椅子。

我赶紧从桌上抓起一把餐巾纸，朝她冲了过去。

"别担心，我来弄干净。"我对塔莎说。

键盘被打湿了，我手忙脚乱地擦上面的按键。

"不要——瑞奇——住手！"塔莎惊叫。

来不及了。

我惊恐地看着自己干的好事。

4 爬虫！我讨厌这个词

"啊——"塔莎张开嘴，愤怒地大叫起来，双手猛扯自己的红头发。

"你这个没用的爬虫！瑞奇，你真讨厌！"她叫道。

她不应该骂人，不过她生我的气是应该的。

我弄丢了整个封面。

屏幕一闪一闪，明亮的蓝色，一片蓝色。

没有字，没有图片。

"呃……对不起。"我喃喃地说。

"也许能找回来，"塔莎对梅尔丽说，"也许可以把这个文件重新找回来。"

塔莎一把推开我，扶起椅子坐下。"啊！"她又一声惊呼，因为坐在了一摊汽水上。

她紧紧地盯着纯蓝的屏幕，两手在键盘上狂舞。

我发现按键还是又湿又黏。她不断地敲打键盘，不断地取消，又重新输入，输入，输入，一边屏着呼吸喃喃自语。

没用，不行。

封面就是不肯回来。

终于，她哀叹一声，放弃了。她猛地一甩头发，转过脸来，压低声音狠狠地向我吼叫：

"你这个讨厌的小爬虫！我所有的工作，所有的工作——全都白干了！"

我困难地咽了咽口水。"塔莎，这是个意外，"我嗫嚅地说，"真的，真是个意外。"

"你讨厌！"塔莎高声尖叫。梅尔丽站在她旁边，愤愤地看着我，一面摇着头。

"是瓦特推我的！"我大叫着往桌子那边望去。瓦特和大卫已经溜得无影无踪了。

"你别再来校报了！"塔莎尖叫，"出去，瑞奇，快出去！"

"啊？"我的心跳停了一秒，"不，塔莎——等等！"我乞求地说。

"出去！出去！"她挥动双臂把我往外赶，就像赶一条狗，"你退出了！我是认真的！"

"可是……可是……可是……"我结结巴巴，像个突

145

突开动的发动机，"可是我需要活动积分！请你再给我一次机会！求你了！"

"出去！"塔莎毫不动摇。

梅尔丽在一旁又是咂嘴，又是摇头。

"这太不公平了！"我悲愤地大叫。

是的，是的，我叫得像个小娃娃一样。但是，饶了我吧，这事真的不公平。

我转过身，砰的一声甩上门走了。猜猜是谁站在外面，猜猜是谁把这难看的一幕从头看到尾。

你猜得对。

艾丽丝。

她上学才一天，就知道我是个失败者了。

"你在这儿干什么？"我郁闷地问。

"听说一定要参加课外活动，所以我想试试到校报来。"艾丽丝一边回答，一边跟着我走进没人的走廊，"不过，我想我还是不参加了，那个红头发女孩好坏哦。"

"那还用说。"我嘟囔着转了转眼珠。

"她不该叫你爬虫，"艾丽丝接着说，"那只是个意外事故。她好可怕哦！应该再给你一次机会的。"

也许艾丽丝和我能成为好朋友，我心想。

我从储物柜里拿出蓝色羽绒服，然后和艾丽丝一起走出学校大楼。

　　下午的太阳已经落到房屋和光秃秃的树背后，冬天天黑得真早。我们向大街走去，草坪上、人行道上散布着一块块残雪，微微地闪光。

　　"你家在哪边？"我抖抖肩上的背囊，问道。

　　艾丽丝伸手指了指。

　　"我家也是。"我说。于是，我们一起走回家。我其实不太想说话，还在为被人从校报踢出来的事烦心着呢。

　　不过我很高兴有艾丽丝在旁边。

　　我们穿过马路，走进另一个街区。高高的树篱在街区里一直延伸出去，只是偶尔被车道打断。

　　有几个孩子在街面上划出一块地方，正在打曲棍球，有的踩着冰鞋四处滑行，有的将球棍支在地上，一片笑语喧哗。

　　"你滑冰吗？"艾丽丝问。

　　"偶尔吧，"我对她说，"我的溜冰鞋有点坏了，刹车松了，还……"

　　"我喜欢把刹车拆掉，"她说，"没有刹车好玩得多呢——你不觉得吗？"

　　我刚想回答，高高的树篱后面突然传来了什么声音，我顿住了。

　　是有人在说悄悄话吗？

　　我是不是听到有叽叽的笑声？

147

艾丽丝和我继续往前走，她说起她搬过来之前住的那个地方孩子们怎么玩溜冰，但我听得心不在焉。

　　我不断地听到有脚步声、低语声，还有窸窸窣窣的声音从树篱的另一边传来。

　　终于，我举起一根手指贴在嘴唇上："艾丽丝……嘘！"

　　她惊讶地瞪大了一双蓝莹莹的眼睛。"瑞奇……怎么了？"

　　"我觉得有人在跟踪我们。"我告诉她。

5　四个坏蛋

"我什么都没听到。"艾丽丝小声说着，眯起眼睛看着我。

我们一起侧耳倾听。

四周很安静，只有孩子们打曲棍球的欢声笑语从我们身后的街道上传来。

我们继续往前走。

我又听到了哧哧的笑声，还有窃窃私语声。

我在下一条车道上突然一拐，冲到了树篱背后。

"谁在那儿?"艾丽丝大声问。她跟着我跑过来，眼睛搜索着树篱后面，然后又望向前院。

"没有人。"我说。

她笑了："瑞奇，干吗一副提心吊胆的样子? 也许你听到的是只小鸟。"

149

"嗯，可能是小鸟。"我应了一句，率先绕过树篱，回到人行道上。我不希望艾丽丝以为我是个疯子，但我肯定是听到了什么声音。

我们又经过了几幢房屋，然后，我听到树篱后面传出细微的哼唱："呆子瑞奇。"

"你听到了吗?"我问艾丽丝。

她摇了摇头。飞机的嗡嗡声远远地传来，在很高的天上。"你是说飞机的声音吗?"她问。

"不是，"我答道，"我听到了人声。"

树篱后发出咻咻的轻笑声。

我跑过去看个究竟，结果差点儿滑倒在一块冰上。

我及时抓住树篱，没有摔下去。后面没有人，只有一个空空的院子。

我扶正背囊，匆匆跑回站在人行道上的艾丽丝身边。

"瑞奇，你可真有点儿古怪。"她笑着说。但我看得出来，她已经开始觉得我很奇怪了，开始认为我这个人太怪异，不合适做朋友。

"我听到后面有人，真的，"我坚持说，"他们肯定是躲在树篱背后，要不就……"

"嗨——呀——"我听到了有人发动攻击的高叫声。

树篱一阵乱晃。

我跟跄着朝街道上退去。

150

树丛里跳出了四个身影，四个尖叫着、大笑着的男孩。

我的四个仇家!

我看到艾丽丝满脸的诧异。接着瓦特一把揪住了我，大卫也揪住我，然后是布兰达和杰瑞德。

他们把我推过来，又推过去。

他们笑着，叫着，把我推得团团转圈。

然后大卫一把把我推倒在地。

他们围着我，把我按了下去，按在冰冷的烂泥里。

"放手!"我尖叫道。

我又踢又打，扭动着身体，想挣脱他们，但他们四个一起把我按得牢牢的。

"放开我!"我惨叫道，"你们想干什么?"

6　我被羞辱了

"放开他!"我听到艾丽丝的喊叫声。

"好吧,"瓦特答道,"没问题。"这个圆鼓鼓的大肉瘤本来坐在我的胸口上,此时站了起来。

我深深地吸了一口气。

其余三人也放开我,后退了一步。

我坐起来,擦去羽绒服袖子上的泥水,看了看艾丽丝。她站在路边,两手紧紧握成拳头,紧张地瞪大了双眼。

我哼了一声,想爬起来。

但瓦特和杰瑞德又把我推倒。"别着急呀。"杰瑞德说。他个子瘦小,但心眼儿却坏透了。

"你想干什么?"我质问。

瓦特向我凑过来。"为什么你对塔莎说,汽水事件是我的错?"他问。

"因为那就是你的错。"我顶了一句,从头发里揪下一片枯叶。

"可是你为什么要告诉塔莎?"瓦特恶狠狠地说。

"因为他是一个软骨头。"大卫插话说。

"因为他吓坏了。"布兰达说。

"因为你是一个告密者!"瓦特指责我。

"可那确实是你的错!"我大声喊着,又想从地上爬起来,但再次被他们按了下去。

艾丽丝发出一声短促的惊叫,然后用双手捂住了嘴巴。"别担心,"我冲她说道,"他们不会真的伤害我。"

我转向瓦特:"对吗?"

他们四个同时笑了起来。

"我们该怎么对待瑞奇·老鼠呢?"布兰达说。

"叫他受点皮肉之苦。"大卫搭腔道。

他们又笑了。

"不,还是让他唱歌吧。"瓦特龇牙咧嘴地冲我一乐。

"啊,不要!"我痛苦地呻吟着说,"别又来这一套!"

他们把逼我唱歌当成了一大乐事。他们总是逼我唱歌,只因为我有一副破嗓子,而且还跑调。"求你们了……"我苦苦哀求。

"没错,唱支歌儿……为你的新朋友。"布兰达指的是艾丽丝。

"不，不行!"我执意不肯。

大卫和杰瑞德弯下腰，抓住我的背囊，将我往泥里按。"唱歌。"杰瑞德命令道。

"唱《星条旗之歌》。"瓦特说。

另外几个人都拍手欢呼起来。"没错!《星条旗之歌》!再好不过啦!"

"不，"我有气没力地说，"不要老这样，求你们了，伙计们!求你们了!我记不住歌词，真的，别又要我唱这首歌!"

我苦苦哀求，艾丽丝也苦苦哀求。

但他们四人居高临下地站在我面前，俯视着我，不让我从泥地里爬起身来。

我还有什么办法呢?我知道，只有一个办法能让他们罢休，所以，我坐在那冰凉泥泞的路面上，开始唱了起来:

"啊，你可看见……"

他们爆笑起来，呜呜哇哇地怪叫，互相你推我，我推你，彼此击掌相庆。他们笑得那么痛快，自己都快要跌倒在泥里了。

"……在勇敢者的家园上。"

不知怎的，我倒是整段唱了下来。当然，有几个关键的词我忘记了，而且不用说，在高音部分我肯定是破了音。

还有一点也不用说，那就是我这辈子都没那么糗过。

艾丽丝一定把我看成了这个地球上最大的小丑，我对自己说，她一定认为我是个彻头彻尾的没用的家伙。

我想像条蚯蚓一样，钻进泥巴里，再也不露头。

我从地上跳起来，一言不发地跑走了。

我没有回头，既没有看那四个仇人，也没有看艾丽丝。

特别是艾丽丝，我不想看到她也笑我。

或者是为我感到难过。

我一刻不停地跑回了家，一头冲了进去，狠狠地关上门，跑回楼上自己的房间。

这一切都是塔莎的错，我心想。

一开始，是塔莎把我踢出了校报——就因为那一个意外事件。然后塔莎告诉瓦特，我把责任推到他身上。

瓦特和他的死党不会有别的反应，绝对是要追上我，然后当着艾丽丝的面狠狠羞辱我。

全是塔莎的错……全是塔莎的错……

那天晚上，我一边极力入睡，一边还想着她，想着找一天怎么报复她一下。

过了几个小时又几个小时，我才睡着。

星期六的早上，床边的电话响起，将我惊醒。我睡意未消地拿起了电话。

猜猜是谁打来的？

塔莎。

没错，塔莎出人意料地打来了电话。

一个改变我一生的电话。

7　我一定要珍惜这个机会

"嗯?"我在半睡半醒间哑哑地哼了一声，然后清了清嗓子。

"我需要你的帮助。"塔莎说。

"嗯?"我一下子在床上坐直了身子。塔莎居然会需要我的帮助? 我还在睡觉吗? 是做梦吗?

"我需要你写一个报道，"塔莎接着说道，"给校报用。我在认识的人里已经找了个遍，但他们都不能帮这个忙。你是我最后一个想找的人，现在你是唯一的希望了。"

"嗯?"我哼道。

"瑞奇——除了'嗯'你不会说别的吗?"电话那边传来塔莎刺耳的询问，"你没睡醒还是怎么的?"

"嗯? 呃……不是……"我又清了清嗓子，然后晃晃脑袋，想让自己清醒一点儿。

塔莎需要我的帮助？

"我需要你到学校来，报道冬至洗车日，"塔莎说，"我需要文字报道和照片，马上。"

"嗯？"我又哼了一声，为什么我就不能不"嗯"呢？也许我是太震惊了，"冬至洗车日？"

塔莎叹了一口气："你不知道学校的洗车日？没看到那些标志吗？没看校报？"

"啊，没错，我忘记了。"我撒了个谎。向窗外望去，只见阳光金灿灿的，是个洗车的好日子。

"太好了！我马上回学校，塔莎，"我对她说，"谢谢你给我这一次机会。"

"我不想打电话给你的，"她冷冷地说，"但我手下大部分记者都参加野外实习考察去了，另一些在洗车时要担任工作人员，如果我的狗能拍照，我就找它了。"

"非常感谢!"我大声说道。

我知道，她想羞辱我。

但她同时也给了我第二次机会，也许我就不用去上暑期学校了。

我套上退色的牛仔裤和运动衫，三口两口吃完早餐——一种粉红色加蓝色、绿色的麦片粥和一杯橙汁。然后，我一路跑着回到了学校。

这一天天气很暖和。电台说今晚和明天会下雪，但现在暖得不像要下雪的样子。

在学校对面过马路的时候，我看到孩子们正在运动场上设立洗车摊位。一个白色的横幅在早晨的微风里呼啦啦地抖动，上面写着：哈丁洗车——五美元。

孩子们从教学大楼背后拉出长长的水管，一张木桌上立着几只水桶，还有海绵块和一沓白色的毛巾。一辆蓝色的庞蒂克轿车和一辆小型货车已经并排在洗着了。

我匆匆跑进教学大楼，跑进走廊，来到校报编辑室。里面只有塔莎一个人，她正微微俯着身子，在电脑前不停地打着字。

看到我跑进来，她皱了皱眉。"我很想自己去报道，"她说，"但又有一个专题赶着完成，我从来没有这么手忙脚乱过。"

很热情地欢迎，嗯？

"我会做好的，我保证。"我说。

她走过来，从理查德小姐的桌子上拿起一部照相机。"给，拿着它，瑞奇，"她将相机递给我，"用的时候要小心，这是我爸爸的宾得照相机，很贵的，是他最珍爱的一部。"

我小心地用双手接过相机，仔细看了看，然后举到面前将镜头对准了塔莎。"说'茄子'。"我说。

塔莎板着脸没笑。"我是在警告你，瑞奇，"她严厉地说，"千万别让它有一点点闪失，同学们洗车的时候照个四五张，然后马上带回来还给我。"

"没问题。"我对她说。

"我希望你这篇报道的篇幅在六段到八段之间，"她继续说道，"你今天就写，最迟明天给我。理查德小姐和我要把报纸编辑好，在星期一晚上要打印出来。"

"没问题。"我又说了一句。

"我在第二页留了一栏给你，"塔莎说，"答应我，这次不要再出什么状况了。"

"我保证。"我说。

接着我就转身向运动场赶去了。

我能应付，我对自己说，我完全能胜任。

就在今天早上，我的生活就能改观了。我完成这项任务之后，一切都会好起来。

我是这样告诉自己的。

然而，我一来到洗车处，我的生活就全完了。

8 洗车日大战

我眯着眼睛，迎着上午明亮的阳光，慢慢跑过运动场。踩在濡湿的草地上，穿运动鞋的脚底滑滑的，我小心地用双手将照相机捧在胸前。

快到的时候，我用一只手挡在眼前搭了个凉棚，挡住耀眼的阳光。我认得那辆蓝色庞蒂克轿车，它属于瓦特的父母。手拿软管的孩子们围着它，在车身上到处喷水。

我举着照相机，向车子跑去。"别动！"我高声喊道，"让我给《快报》拍张照片！"

第一道水柱吓了我一大跳。

我觉得有东西打中了我运动衫的前面，冷冷的东西。

我惊呼一声。

接下来的两道水柱打中了我的脸和胸口，让我仰面朝天倒了下去。

"喂——"我好不容易叫出声来，"住手！你们疯了吗？"

我想离开那儿，但现在有四道水柱向我追击。

"啊！"水冷得要命！

我弯腰躲开水柱，这才认出手持水管的那四张笑嘻嘻的面孔——布兰达、瓦特、大卫和杰瑞德。

不然还会是谁呢？

我一边嘴里气急败坏地嘀咕着，一边想跑出水管的射程。冰冷彻骨的水从上到下地落在我身上，就像在洗淋浴，另一道水柱击中了我的后背。

"住手！喂——住手，你们几个！"我大喊大叫。

这时，我想起了照相机。

我一边低头躲避另一道水柱的凶狠射击，一边举起照相机看。

湿透了，完全湿透了。

"啊呀！"愤怒的尖叫冲出我的喉咙。

我惊恐不安地看着滴水的相机，完全气昏了头。我生平第一次，气得失去了理智。

我把相机挂在脖子上，转过身去，冲向那四名挑事者。

我最后的机会！我在心里说。

我留在校报的最后机会——被他们破坏了！

那四个七年级学生又吼又笑，想用水管阻拦我。但我低下头，直奔他们而去。

我低声狠狠地咒骂着，抖抖身上的水珠，朝瓦特猛扑过去。我抱住了他的腰，将他拖到地上。

他冷不丁地倒吸了一口气，笑声噎住了。

我从他手里抢过水管，拉开他爸爸妈妈的车门。一道水柱喷向车内。

"喂——别啊!"瓦特惨叫起来。

来自大卫手中的水柱射在我的背部，水花向空中迸射，就像喷泉一样。我听到从另一辆车旁边传来了孩子们惊叫和哄笑的声音。

我把后座淋了个透湿，然后又去淋前座。

当我发现布兰达、大卫和杰瑞德抛下了手里的水管，立即也丢掉自己手中的那根，然后拔腿就跑。

他们全体向我追来。

我没跑太远。

草坪又湿又滑，我才跑几步，脚下的运动鞋就打滑了。

我重重地跌倒在地。

脸朝下扑在草地上。

正好砸中照相机。

9 《快报》，再见了！

"这是不是说我得退出校报了？"我低声下气地问道。

塔莎皱着眉头，将手里的照相机翻了个个儿。"镜头碎了，"她摇着头，低声地说道，"整部相机都湿漉漉的，"她的声音都打战了，"它……它报废了。"

"真的不是我的错。"我轻声说道。

她愤怒地吹开前额的一缕红发。"你得赔！"她喊道，"你要赔这部相机，瑞奇。不然的话，我爸爸会告你！"

"可是，塔莎……"我求情地说，"你知道这不是我造成的。"

"走开，"她呵斥道，"快走开，反正一切都不是你的错——对不对？"

"呃……这件事不是的，"我坚持地说，"你听我说，塔莎……"

"有你在准没好事，瑞奇。"她再次对我怒目相向，然后又看了看坏掉的相机，接着把它扔在了桌面上。

"你做什么事都不认真，"她指责我说，"把什么事都当做儿戏。"

"可是，塔莎……"我还是想求情。

"滚开，"她说，"那是你的最后一次机会。你根本不配，你就是个没用的小爬虫。你想想，为什么大家都叫你瑞奇·老鼠？因为那就是你——一个无能鼠辈！"

这些话深深地伤害了我。

我胸口猛地一疼，几乎无法呼吸。

我转过身去，不让塔莎看到我有多难过。然后我冲出房间，离开了学校。

我跑过运动场，耳中听到孩子们洗车时的歌唱声和欢笑声。他们在车身上涂清洁剂，用水冲干净，一个个兴高采烈。

就在我经过的时候，一些孩子开始齐声高唱："呆子瑞奇！呆子瑞奇！"另一些哈哈大笑。

我把头扭到一边，不停地跑着。我知道，到了星期一，塔莎就会告诉每一个人，我弄坏了她爸爸的照相机。

这件事会传遍整个学校，谁都会知道，瑞奇·老鼠又把事情弄砸了。

我向家里跑去，塔莎的话不停地在我耳边回响，每跑一步，我的怒气就增加一分。我想尖叫，我想爆炸！

就是这个时候，我下定决心，要报复塔莎。

就是这个时候，我决定要玩一个恶作剧。

小爬虫……小爬虫……小爬虫……

这个词在我脑子里重复来又重复去。

瑞奇，你就是个爬虫，就是一个鼠辈。

你要赔，瑞奇，不然的话，我爸爸就去告你！

鼠辈。鼠辈。鼠辈。

她没有权利这样叫我，这是不公平的。

我气恼极了，伤心极了，不过，等回到家的时候，我已经面带微笑。我知道自己想干什么了，我知道应该怎么去报仇了。

我的心里已经有了一个清楚的计划。

一定会成功的，一定会。

所以，现在我就在这儿了。

星期一的晚上，我溜进塔莎和理查德小姐正在工作的教室。

我高兴地在校报封面上留下了我的小消息。

我知道动作一定要快。塔莎和理查德小姐随时会回来。

我竖着耳朵听，留意着她们回来的动静。

从来没有这么紧张过，但我的脸上还是挂着报复成功后满足的微笑。

瑞奇，所有人都把你当成失败者，但你是一个天才！我在心里向自己表示祝贺。

只有你才想得出这么一个精彩的、卑鄙的报复计划。

我每隔两秒就抬眼看一看门廊，然后打完了那段留给哈丁中学校报读者的信息：

召集爬虫。召集爬虫。如果你是一个货真价实的爬虫，午夜后请致电塔莎：555—6709。

我又看了一遍，再次露出微笑。

我想乱蹦乱跳，想放声大笑。

但我知道，一丝声音都不能发出来。

我站起来，转过身向窗户走去，准备逃离现场。

走到一半，我听到了塔莎的咳嗽声和迈进教室的脚步声。

我被发现了。

10　不好的预感

我呆住了。

差一点儿，我心想，就差一点儿。窗户离我只有五步，只要五步——我就能离开这里。

但现在这五步就像五英里路那么遥远！

我闭上眼睛，等着塔莎叫出声来。

然而，我听到了理查德小姐的声音在走廊里响起："塔莎——你过来一下好吗？"

我睁开眼睛，正好看到塔莎消失在门外。

她看到我了吗？不，不可能，那样的话她会尖叫的。

呼！我长长地吐了一口气，然后跳出了窗户。

我的胳膊肘和膝盖着了地。我手忙脚乱地爬起来，拔腿就跑。

我甚至没有去关窗。太危险了，我想。

四天里第三次，我一路狂奔到家。

星期五和星期六，我跑回家里，是一个不光彩的角色，一个失败者，一个没用的小爬虫。

今晚，我跑回家里，却是一个胜利者，一个斗士，一个天才！

我静悄悄地溜进屋里。书房里传来电视的响声，爸爸妈妈还在看天气频道。

我屏住呼吸，在前门廊里听了一会儿。太平洋西北部的暴风雨……洪水警报……

几个星期以前，我想让爸爸妈妈转到音乐电视频道，可是他们讨厌音乐电视，因为它从来不播天气消息。

我满心欢喜，兴高采烈，真想冲到书房里，把我的恶作剧告诉他们。

不过，当然了，不能这样做。

相反，我只是无声无息地上了楼，回到自己的房间，并关上了门。

我可以打电话给谁呢？我一定要给什么人打个电话，一定要找人分享我的小秘密。可是，找谁呢？

艾丽丝。

没错，艾丽丝。她会欣赏的，她会理解。

我的心怦怦地跳了起来，向电话伸出手去。我花了一会儿工夫，回忆艾丽丝的姓。她的姓我只听过一次。钱德勒？坎德？坎德尔？没错，艾丽丝·坎德尔。

我从查号台问到了她的电话，然后打了过去。铃响了，一次，两次，第三声铃响过后，艾丽丝接了电话。

我们俩互相打了个招呼，我的电话好像让她很意外。

"猜猜我今晚去了哪里？"我问，但是我没等她猜，就已经竹筒倒豆子一般把整个经过说了出来，那些话好像自己从我嘴里冒出来似的，我好像都没有停下来呼吸！

"是不是很棒？"我把所有细节都说完之后，问了她一句，然后又笑着说，"明天就要发校报了，"我说，"塔莎明天晚上一定没什么时间睡觉，肯定会接到学校里每一个人打去的电话！"

我等着艾丽丝笑，但电话那头只有长长的沉默。

"你不觉得好玩吗？"我问。

"有点吧，"她答道，"不过我对这件事有一种不好的预感，瑞奇，非常不好的预感。"

"艾丽丝，这只是个玩笑，"我对她说，"会有什么问题呢？"

11　复仇的感觉真好

第二天早上，当我来到学校，猜猜我第一个碰到的是谁？

回答正确：塔莎。

她高高地抬起鼻子，好像闻到了臭鱼烂虾一样。然后，她匆匆从我身边走过，连招呼都不打。

我不在乎，心里只是想着我在《快报》封面的底部送给塔莎的小小惊喜。这件事会让我一整天都面带微笑。

真的，我实在是需要笑一笑了。

我拐了个弯，向自己的储物柜走去。这时，乔希和格雷格，我们班的两个男孩，故意撞了我一下。"瑞奇，别撞我。"乔希说。

格雷格又撞我一下，然后把我推到乔希身上。

"喂——别这样！我说了不要撞我！"乔希叫道。

171

"别烦我。"我嘀咕了一句，从他们身边绕开。

他们笑着互相推推搡搡地走了。

可爱的同学，嗯？可爱得跟骨折的胳膊有一比。

我打开储物柜，从背囊里往外掏书。

"嗨，瑞奇——想洗洗我爸爸的车吗？"一个名叫托尼的男孩在走廊对面冲我喊道。

我把头钻进柜子里，没有往周围看。

笑声传来，一些孩子被托尼的笑话逗乐了。

"喂，瑞奇——想洗什么东西吗？"托尼又嚷道，"洗你的脸去吧!"

真是个小丑。

大家又笑了。

我狠狠关上柜门，一言不发地从他们身边经过。这一切全都是塔莎的错，我在心里说。但今晚，我会是笑到最后的那一个。

我转了一个弯，向教室走去。布兰达和瓦特站在墙边的饮水机处，我想赶紧跑过去，可是，动作还是不够快。

布兰达用手掌压在饮水机上—— 一道冷冷的水线打湿了我衬衫的前襟。

"中!"

笑声更响，传遍了走廊。

"你淋湿了我爸爸的车，他要告你!"瓦特大声说，

"他要让你们家赔成穷光蛋!"

"叫他记得排队。"我在嗓子眼儿里嘀咕了一句。

"瑞奇·老鼠! 瑞奇·老鼠!"有人又唱起来了。

欢迎参加哈丁中学的"欺负瑞奇日"。

可悲的是,每一天都是"欺负瑞奇日"。

但今天我无所谓。我知道,今天我会成为一个胜利者。

今天出洋相的是塔莎。今天下午,校报就会分发出来,然后塔莎就会整夜不得安宁,忙着接电话。

属于我的甜甜的、甜甜的报复。

那天晚上,爸爸妈妈带我出去吃饭,和住在镇子另一头的表亲们一起。直到九点半,爸爸妈妈才带我回家,而我还有大约两个小时的家庭作业要做。

所以,直到将近十二点,我才上了床——这对于第二天还要上学的我来说有点儿太晚了。

刚要睡着,床头的电话响了。

我瞥了一眼闹钟收音机,差两分十二点。

"谁会这么晚打电话来呢?"我有点奇怪。

12　我惹上麻烦了

我在黑暗中摸索电话，结果不小心把它打翻了，落在地上发出好大的声响。

我跳下床，捡起听筒，然后跪在地上，听爸爸妈妈的动静。他们听到电话铃声了吗？十点以后他们就不准我有电话了。

我清清嗓子，把听筒举到耳边："喂？"

"瑞奇——是我，艾丽丝。"

我又看了看钟。"艾丽丝？都半夜了，你怎么会这么晚打电话来？"我问，"你没事吧？"

"我爸爸一整个晚上都占着电话。瑞奇——你看校报了吗？"她压低声音急切地问道。

"嗯？没有，"我坐在床边上，"发校报的时候，我被叫到图书馆去了。我弄丢了几本书，图书管理员找我去问话，等我回到班里，校报全都发完了。"

"这么说你还没看到?"艾丽丝的声音有些刺耳。

"没有，"我又说了一遍，"我的那份没拿到。是不是很妙啊?你看到底下的消息了吗?"

"嗯……"艾丽丝支支吾吾的。

"妙不妙?"我兴奋地说。

"不太妙，"艾丽丝轻轻地说，"事实上，瑞奇，你惹出……大麻烦了。"

"我什么?"我把听筒紧紧地按在耳朵上，她的声音这么小，我简直听不到，"艾丽丝……我怎么了?"

"惹了大麻烦。"她重复道。

我后背上冒出一片凉气。"大麻烦?可是……为什么，艾丽丝?你是什么意思?"我不连贯地问。

这时候她顿住了，电话的另一头一点儿声音都没有。

"艾丽丝——我听不到!"我说，"艾丽丝——"

"啊，不好，"她小声说，"得挂了，爸爸在吼我了。"

"可是，艾丽丝……"我追问道，"为什么我有麻烦了?你一定要告诉我!"

"我挂了!"我听到她朝爸爸大叫，"就几句话，爸爸，我知道是半夜了!"

"艾丽丝，拜托——告诉我，说完再挂!"我急切地说。

"挂了，再见。"她说了一句，随后是咔嗒一声，电话断了。

我愤愤地扣上电话。她搞什么鬼？为什么不把话说清楚，告诉我为什么有麻烦？

我把电话在闹钟收音机边放好，又爬回到床上，重重地拍了几下枕头，把它拍得松松的，然后把毯子拉到下巴底下。

我闭上眼睛，正想平心静气，好让自己睡着，电话铃又响了。

我猛地一个激灵，挺直了身子。这一次我拿起了听筒，没有把电话机碰到地上去。

"艾丽丝，谢谢你又打过来。"我小声说。

"我看到了你在校报上留的信息。"一个声音悄然说道。

"艾丽丝？"我咽了咽口水。我知道，那不是艾丽丝。

"我看到了你的信息，"那声音低低地说，"遵照指示打电话给你。"

"啊？打给我？"我叫道。

"是的，按照你的指示。"那低沉的声音又说了一遍。

"喂——你是谁？"我问。

"我是一个爬虫。"

13 恐怖的电话

我砰的一声扣上电话。

然后我又躺回到床上，再次拍松枕头，把毯子拉过来，盖住肩膀。

卧室外面传来呼呼的风声，家门口的路灯投下道道阴影，在我房间的外墙上飞舞闪动。

我的脑子里乱成一团。

刚才打电话的是谁？

我拿不准，但听起来像是个男孩的声音。为什么他打电话给我？我在校报上留的是塔莎的电话号码。

我没有时间多想，因为电话铃又响了。

我不等第一声铃响结束，急忙抄起了听筒，然后向房门口看去。如果爸爸妈妈听到我接了那么多电话，那才叫做有大麻烦。

177

"喂？是谁？"我问道。

"嗨，我是爬虫。"一个不同的声音，男孩的声音，轻声而尖细地说。

"啊？"我吸了一口冷气。

"我是一个爬虫，一看到你的命令，我就打电话来了。"

"别闹了！"我大叫一声，摔下了电话。

"怎么回事？"我大声地自言自语，坐在床上盯着电话机，在昏暗的光线中看着它，等待着。

还会再响吗？

"瑞奇——"一个声音炸雷般响起。

我跳起三丈高。

房顶的灯亮了。爸爸穿着蓝白条纹的睡衣站在门廊里，用手挠着腮帮子。"瑞奇——这些电话是怎么回事？"他质问道。

我耸耸肩："电话？"

他怀疑地朝我眯缝起眼睛。"我听到电话铃响了三次。"他声音含混地说。

"啊，你说的是那些电话！"我极力装出没事的样子，但自己也知道不太高明。

"你知道的，十点以后就不准接电话了，"爸爸严厉地说着，打了个哈欠，"现在都过了十二点，是谁这么晚还打电话来?"

"就是开个玩笑,"我对他说,"你知道,学校的同学。"

他拨开前额上淡茶色的头发。"我可不觉得这有什么好玩。"他说。

我低下头。"我知道,可这不是我的错……"

他抬起一只手打断我。"叫你的朋友们别玩了,"他说,"我是认真的,如果他们总是这么晚打电话来,我就得没收你的电话了。"

"我会告诉他们的。"我保证道。

我会叫他们停止的,我心想,如果知道他们是谁的话!

爸爸又打了个哈欠,他打的哈欠是全世界最响的,听起来就像一声巨吼。

打完哈欠以后,他关掉灯,回到自己房间。

他一走,电话铃就响了起来。

"拜托——"我开口道。

"我是爬虫,"一个声音窃窃低语,这回是个女孩,"我看到了你的信息。我已经准备好了,准备播种,准备主宰。爬虫集会是什么时候?"

"啊?集会?"我没等对方说完,赶紧挂断了电话。

看着电话,我彻底糊涂了。

为什么是我接到这些电话？我想不明白。

是不是什么地方出问题了？

为什么这些电话都这么奇怪？为什么那个女孩说她"准备播种，准备主宰"？

出什么事了？

铃声又响……

14　害人反害己

那天早上，我拖着疲惫的身子去上学。电话一直响到凌晨两点，然后我把听筒从话机上拿了下来。剩下的时间，我都躺在床上翻来覆去，想着这些古怪的电话。

直到七点，我才睡着，而这正是闹钟叫醒我的时候！

早餐时，我的脑袋都差点儿垂到麦片粥里去了。真想回到床上去睡觉，但爸爸妈妈一点儿都不同情我。

他们也火冒三丈，因为电话铃也吵得他们一直睡不着。

"叫那些孩子不要再打来了，"妈妈警告说，"要不我就会到你的学校去，亲自对他们说！"

"不——求你啦！"我求着妈妈，"我会说的，我会告诉他们。就在今天上午！他们不会再打来，我保证！"

还有什么事情比你的妈妈冲进教室，教训你的同班同学更尴尬的呢?

他们本来已经天天都拿我取笑,叫我呆子瑞奇了,如果妈妈跑到学校,对他们大吼大叫,你能想象出他们会叫我什么吗?

哇塞!

光是想一想就叫我全身冰凉。

我千辛万苦地来到学校,在拥挤的走廊里向自己的储物柜走去。

"你来了!"艾丽丝叫道。

我看到她在我的储物柜对面等着我。她穿了一件宽松的格子呢衬衫,下面是一条灯芯绒裤子,长长的塑料耳环发出细碎的轻响。

她本来靠在瓷砖墙上,此时从一群女孩中间挤到了我身边:"给,瑞奇,看吧。"

她递给我最新一期的《哈丁快报》。我急切地抓过来,低头去看封面的底部。

啊,在这儿。细小的字体占据了整个页边,是我的信息。

只是被改动了一点点。

我轻轻地动着嘴唇,小声地读出来:"召集爬虫。召集爬虫。如果你是一个货真价实的爬虫,午夜后请致电瑞奇……"后面是我的电话号码。

我的电话号码，不是塔莎的。

我的名字和号码。

我低低地呻吟了一声，将校报还给艾丽丝。

她摇着头直咂嘴。"你的样子好惨，昨晚到底睡了没有?"她问。

"没有。"我喃喃地说。

我又把校报拿在手里，重新看了一遍。"怎么会这样?"我叫道。

塔莎笑嘻嘻的脸闪现在我的脑海里。

"塔莎!"我尖厉地叫了一声，转身就走，从一群一群的孩子当中挤过去，不停地撞到别人的背囊。

我沿着弯弯曲曲的长廊，跑到八年级的教室，就在上课铃声响起的时候冲进了塔莎的班里。

我胡乱地在教室里张望，看到她正在前排，将笔记本递给另外一个女孩。

"塔莎——"我大叫着向她跑去，冲着她的脸挥舞那份校报，"我……我……"我语无伦次，气喘吁吁。

她向后甩了甩红色的鬈发，笑了。"幸好我及时发现了你开的小玩笑，"她说，"昨晚接到电话了吗，瑞奇?"

"有几个。"我气愤地说。

全班哄堂大笑，就连老师也不例外。

一整个上午，我都感觉到所有人都在看着我，笑话我。

也许是我想象的，也许不是。

我一直在想昨天晚上接到的电话。我知道，全都是学校里的孩子打来的。可是为什么，他们说的话都那么古怪？

我看到了你的信息……

我已经准备好了，准备播种，准备主宰。

爬虫集会是什么时候？

午餐时，我拿着托盘走向餐厅后面的角落。我一点儿胃口都没有，也不想听到更多的挖苦，让更多的孩子嘲笑我。

这样的话，我就必须经过那四个七年级仇人常坐的位置。

啊哦，我在心里叫了一声。瓦特和大卫正在挤纸盒里的牛奶，互相朝对方喷射。布兰达在狂笑，巧克力奶从鼻子里喷了出来。

他们看到我了，看来我得洗个牛奶澡了。想找路逃跑已经来不及。

令人惊讶的是，当我从那张桌子边经过时，既没有被泼湿，也没有被冲撞。瓦特没有说那些不怀好意的笑话，大卫和杰瑞德也没有伸脚来绊我。

怎么回事？我一边快步向餐厅深处的角落走去，一边暗自诧异。他们明明看到我了。

为什么他们没有起哄，大叫"呆子瑞奇"，也没有像平时那样，朝我扔饮料盒？他们就这么让我从旁边走过去，就好像不认识我一样。

我一推托盘，它在餐厅最里面的一张桌子上滑过。没有人愿意坐在这个角落，因为它正好挨着暖气出风口，一边吃一边会有热风从桌面吹过。

我挑的是夹了某种午餐肉的三明治和一碗西红柿汤。我把椅子靠墙斜支着，坐在上面一边嚼三明治一边看其他孩子。

同时等待着。等着有人走过来，取笑说我那碗西红柿汤像凝结的血，或拿我夜里接到的电话寻开心。

等着他们开始唱"呆子瑞奇"，或者瓦特之流的某个伙计从自己桌边朝我扔食物。

可是，没有。

没有任何人注意我。我靠着墙，太太平平地吃完了午餐。

我喝完了汤，吃了半块三明治。本来我还挑了一碗巧克力布丁，但它表面的那层皮太硬了，勺子挖不进去。

我收拾起托盘，站起来离开桌子。

这时，有人用一个纸团打中了我的前额。

"喂——"我生气地嚷了一声。不过，在心底里，我反而偷偷地感到高兴。我是说，太平无事地吃完一餐饭而没有人来打扰，这太不合常理了。

我揉着额头，瞥了一眼那个纸团，发现上面写着字。原来是一张字条。有人传给我一张字条。

我打开它，飞快地看上面潦草的字迹：

爬虫集会是什么时候？

15　一个美妙的邀请

　　我在餐厅里扫视一圈，想看看是谁扔的字条。可是没有人在注意我，瓦特和他的三个死党正推开椅子，拿着托盘向放托盘的窗口走去。

　　是他们当中的一个向我扔的吗？我暗暗地问。

　　我又看了看字条，将它叠好，塞进了牛仔裤的口袋里，拿起托盘向窗口走去，然后疾步走出了餐厅。

　　我在走廊上撞见了艾丽丝。"怎么啦？"她问。

　　我耸耸肩。"又有一些爬虫，"我对她说，"好像追着我呢。"我叹了一口气，"可能是我自找的。"

　　"我告诉过你，对你的恶作剧，我有一种很不好的预感，"艾丽丝回答说，"塔莎肯定不会放过你的。"

　　"不要再说啦，"我快快不乐地说，"如果今晚还有人给我打电话，我爸爸妈妈非气炸了不可，我的电话肯定就

187

保不住了。"

"也许你上床的时候，应该把听筒从话机上拿下来。"
艾丽丝出了个主意。

聪明啊，艾丽丝真聪明。我心想，我可不一定能想到
这个。

我走在艾丽丝前面，和她一起上楼。到处都是乒乒乓
乓开关柜门的声音。同学们有的往柜子里塞外套，有的在
往外拿课本和笔记本，有的正往背囊里塞东西。上课铃就
要响了。

艾丽丝站在她的储物柜前，向我转过脸来，双颊突然
涌起了两团红晕。"你能帮我一个忙吗？"她问。

"当然。"我对她说。

为什么她要脸红？她想要我帮什么忙？

"新到一个学校的日子真不好过，"她说，"星期六学
校的点心集市上，我想精心准备一点儿特别的东西，你知
道，让大家好好见识见识我的参与精神，呜啦！呜啦！"
她高举双手，做出带头喝彩欢呼的样子。

我笑了，等着她说下去。

"嗯……"她犹豫着说，"明天下午放学以后，你可
不可以陪我一起去采购面粉啦，糖啦什么的？我们可以
去……"

"当然!"我没等她说完就忙不迭地答应了。

　　我好激动啊，差点儿就要脱口而出："从来没有任何女孩邀请过我去任何地方！"

　　不过我还是极力保持了冷静，没有告诉她。

　　"明天下午我在运动场后面等你，"我说，"你想买什么我都陪你去，然后帮你全都拿回家。"

　　我真像个男子汉吧？

　　她向我说了谢谢，我在走廊里朝着自己的储物柜一路小跑。我感觉自己像是连蹦带跳，或者简直可以说是在飞！艾丽丝喜欢我，我心想。学校里有女孩子喜欢我了。

　　你也许不把这当一回事，可对我来说是件很大的事。

　　它改变了我的整个心情，让我忘记了自己的所有麻烦，让我忘记了自己是谁！

　　多好的一天！我对自己说，多么美妙的一天啊！

　　我就这样一直欢欣鼓舞的，直到打开储物柜的门。

16　爬虫集会

我哼着歌，拉开柜门，弯腰从柜底拿出几个笔记本——这时眼前有红光一闪，吸引了我的注意力。

淋漓的红色。又黏又稠、向下流淌的红色液体，沾满了一整面柜门。

我倒吸了一口冷气，一开始还以为是血。

然后我马上意识到，眼前的是红油漆，鲜红的油漆。

我急忙起身站好——看到了有人胡乱涂在柜门上的一句话：

爬虫集会是什么时候？

"哇！"我大叫一声，伸出一根手指摸了摸油漆，手指缩回来时已经染上了红色。

油漆是刚刚才涂上去的，还在往下流，就在刚才，有人写下了那些字。

可是，是谁呢？

为什么？是开玩笑吗？可是这有什么好玩的？

我百思不得其解。

猩红的字迹闪闪发光，向我怒目而视。我拿起背囊，砰的一声关上柜门。

现在没有时间去想这件事，我得去上课了。

这天晚上，铃声早早就响起了。

我八点半做完了功课，然后跟爸爸一起在书房看电视转播的篮球赛。电话铃响，爸爸拿起了身旁桌子上的无绳电话。

他小声说了几句，然后把电话朝我一塞："找你的，瑞奇。"

我把电话拿到走廊里，离开篮球赛的喧哗声。

"喂？"

"我是爬虫，"一个声音低语，"爬虫集会是什么时候？"

我一声不吭，挂断电话，然后把电话拿回了书房。

我想专心看篮球赛，但电话铃响个不停，一个又一个声音向我低语：

"我是爬虫。我接到了你的命令。"

"我们已经准备好播种了吗?"

"我是爬虫。我们什么时候集会?"

这一点儿都不好玩,我心想,诡异得毫无乐趣可言。

17 爬虫司令

第二天一放学，我就奔向储物柜。我把晚上做作业要用的书塞进背囊，套上蓝色羽绒服，然后跑向运动场，去与艾丽丝会面。

我是不是有点儿热心过头了？

你猜得对。我急不可待地想陪艾丽丝去采购材料。我要帮她把东西一直拿回家，我心想，然后她没准儿还会邀请我帮她一起烘烤为点心集市准备的点心呢。

艾丽丝和我会一起合作。在这以前，从来没有哪个女孩愿意和我一起合作。当布列塔妮·霍普得知我要和她搭档解剖青蛙，她请假在家足足两个星期！

我只好自己一个人给青蛙开膛破肚，当然，也不可避免地把实验弄得惨不忍睹。

但艾丽丝不一样。艾丽丝是新来的。

193

点心集市设立奖品吗?

可能没有。不过如果有的话,我相信艾丽丝和我一定能获得一个奖项。然后,其他孩子将发现,我不是那么没用的人。

我一边这样转着念头,一边向运动场后面走去。我有几个了不起的想法,非常非常了不起的想法。

不过,我的想法一直没有实现,没有机会。

因为我没有见到艾丽丝。

我转身想回到学校去找她——这时,瓦特、大卫、杰瑞德和布兰达从后面扑到了我身上。

"喂——放开我!"我大叫着,拼命挣扎。

但他们合力压着我,把我按倒在运动场的地上。

"放开我!你们干什么?别来烦我!"我尖叫,又扭又踢,可实在是不够力气摆脱他们。

他们把我拖进运动场对面的树林里。林子里的地面上铺着厚厚一层湿漉漉的枯叶,我的运动鞋在上面一路刮了过去。

光秃秃的树木在下午的微风中颤抖,一只瘦成皮包骨的松鼠在我们前面蹦蹦跳跳,在荒凉的地面上寻找食物。

"你们想干什么?"我大叫,"放开我!我是认真的!"

他们毫不理会我的叫喊,拉着我穿过一簇高高的野草。"这边。"大卫低声说道。

他带领我们来到一排很高的常绿灌木旁边，一团团灰色的积雪挂在枝条上。

有灌木丛遮挡着，路上的人完全看不见我们。我猛力一挣，甩开了他们。

其实，我觉得是他们放开了我。

我转了一个身，四处搜索最佳的逃跑路线。想逃不容易，积雪覆盖的灌木丛团团围住了我们。

瓦特和他的死党们围着我，笔直地站着。他们全都注视着我，仿佛在等我开口。

"为什么把我拉到这里来？"我质问道，我极力想让语气保持冷静，可是我的声音都变了调，"你们想把我怎么样？"

他们还是面无表情，只有一派严肃而认真的神色，甚至在我声音走调的时候，他们都没有笑。

终于，瓦特打破了紧张的沉默："我们不会伤害你的，司令。"

我想我肯定是听错了。"什么？"我大声问。

"我们是爬虫。"瓦特又说。

我陡然张大了嘴："这么说，是你们打电话给我啦？还给我递消息？"

四人郑重地点了点头。"是的，司令。"布兰达说着，从长长的黑发上拍掉树上跌落的积雪。

"我早该想到是你们。"我咬牙切齿地小声说道。

"是的,你早该知道。"杰瑞德跟着说。

"一接到你的通知,我们就打了电话,司令。"大卫插话说。

"什么'司令'?"我没好气地说,"你们干吗这么叫我?"

"我们没想到你就是司令,"瓦特答道,"如果我们知道了,绝对不会取笑你,拿你寻开心。"

"请接受我们的道歉,司令,"布兰达说,"我们非常抱歉。"

"你应该早点让我们知道你的身份。"大卫说。

"是的,现在我们要尽快行动了。"瓦特又说。

"说的什么呀?"我尖叫,"你们有什么毛病?"

他们是想把我逼疯吗?这是什么愚蠢的把戏?

"我约了人,"我不耐烦地对他们说,"没时间跟你们犯傻。"

学校里有一部分孩子热衷于一些想象出来的游戏。他们一连好几个小时在想象的世界中搞角色扮演,你知道的,有龙啊,精灵啊之类的东西。

可是我从来没有见过瓦特他们玩的这种游戏。

那么他们到底是在干什么啊?

我知道这一切都只是个无聊的玩笑。肯定是个玩笑。

可是为什么他们不笑？为什么他们都是一副郑重其事的样子？

布兰达圆溜溜的黑眼睛紧盯着我。"不用再伪装了，"她说，"现在我们已经知道你就是司令，我们要快点展开行动。"

"我们爬虫没有多少时间。"瓦特说着，两眼注视着我的眼睛。

灌木丛的尽头，那只松鼠的头从后面伸了出来。我在想：如果我往那边跑，能跑掉吗？

"司令，我们不明白你在耽搁什么。"布兰达说。

"伙计们，这不好玩……"我开口道。

他们一齐神情肃穆地点起头来。"我们知道，"杰瑞德轻声地说，"我们只有很少的时间来完成任务。"

任务？他们全都疯了吗？

他们花了多长时间想出这么个无聊的恶作剧？真以为我会上当吗？

"到底是怎么回事？"我质问道。

"变身豆一周之内就要变质了。"布兰达说。

"我们要在很短的时间内把它们种下去，"大卫焦虑地说，"也只有一点点时间把整个学校的人变成爬虫。"

"变身豆？种下去？"我笑了，不然还能有什么反应呢？我冲着他们哈哈大笑。"是我疯了，还是你们疯了？"

197

我问。

"如果不及时把豆子种下去……"瓦特说了一半，声音越来越小，到最后听不到了。

布兰达接过瓦特的话，说道："如果我们不能把变身豆种下去，"她一直盯着我不放，"我们的任务就失败了。"

瓦特一只手按在我的肩头上，面色凝重地望着我说："不用说，司令，任务失败你会有什么下场，你是知道的。"他用手在喉咙上比画了一个切割的动作。

沉重的寂静降落在树林里。一阵风吹来，摇落了枝头的积雪，我突然全身发冷。

布兰达把手伸进背囊，拿出一个透明的塑料袋，举起来递到我面前。"我把变身豆带来了，司令。"她说道。

我仔细看了看袋子里的变身豆。它们看上去和巧克力豆一模一样。

"爬虫必须主宰世界!"杰瑞德一声高呼。

"人类已经过气!"布兰达高举手里的袋子，大声喊道，"未来属于爬虫!"

他们四人齐声欢呼，就在欢呼的当儿，他们开始变形——变成了妖怪!

18　爬虫的可怕阴谋

"爬虫主宰世界！爬虫主宰世界！"他们不停地呐喊。

我惊骇万分，看着他们的脸扭曲起来，身体开始变形。

他们的头上冒出了一个一个的疙瘩，还有硬币大小的疙瘩从他们的手臂和手掌上冒出来。

他们的脸越拉越长，头发缩进了紫色的头颅之中，他们的眼睛深深地陷在紫色的扁扁的头上。

长长的、黏糊糊的舌头，从参差不齐的两排牙齿间伸了出来。疙疙瘩瘩的紫色舌头，向四下里甩动，湿漉漉地闪着亮光。

我瞠目结舌地看着这一切，动都动不了，更不用说逃跑了。我的视线无法离开这四个东西，满身肉瘤的蜥蜴般的东西。

爬虫。

他们发出呜呜噜噜的哼哼声，还有呼哧呼哧的喘息声。他们潮湿的眼睛转动着，他们长长的吻向下滴着涎液，他们蜥蜴似的下颌一张一合。

"不——"瓦特突然朝我一跃，我登时惨叫起来。

我以为他要袭击我。

但他动作飞快地越过我身边——用两只紫色的手，抓住了那只干瘦的松鼠。紧接着，他张开了嘴，把松鼠塞了进去。

他嚼都不嚼就吞了下去，最后只见那条毛茸茸的松鼠尾巴缩进他的嘴里。

他凹凸不平的舌头舔了舔濡湿的嘴唇。"不好意思，不够分给你们的。"他朝大家咧嘴一笑。

"味道怎样?"布兰达喵喵地问。

"有点儿发干。"瓦特回答。

"我不喜欢连皮吃。"杰瑞德说。

不知为什么，这句话让他们爆笑起来。干巴巴的、难听的笑声，听起来像哽住喉咙发出的声音。

疙里疙瘩的长舌头从他们四个的嘴里伸出，彼此互相碰触，像是击掌庆贺一样。

我做了个深呼吸，只觉得两腿发软，就快站不稳了。"我……我得走了。"我结结巴巴地说。

布兰达用紫色的手指，在我的面前举起那袋豆子。"只有一个星期了，司令，"她说，"我们怎样才能将它们种到学生的身体里面去呢？我们已经等了你好久，你有什么计划吗？"

"有，我的计划就是离开这里——马上！"我答道。

我转身想走，但他们包围着我。他们的眼睛在打量我，他们紫色的胸膛一起一伏，发出好大的声响，皮肤上的肉瘤在颤巍巍地抖动。

瓦特微微一鞠躬，像个仆从那样。"可是，如果你走了，司令，爬虫的下一次集会是在什么时候？"他轻声地问。

"没错，我们必须尽快再聚一次，必须制订出一个计划。"大卫严肃地补充说。

"在这个星期之内，哈丁中学的所有学生都必须要吃到一颗变身豆。"布兰达大声说。

其余爬虫纷纷点头附和。

"爬虫将主宰世界，"瓦特轻声地说，"那些人类学生将全部变成爬虫！"

他们又伸出舌头，像击掌那样互相拍击。

一定要逃走，马上！我在心里对自己说。

得去告发他们，要把他们的真面目告诉学校，还有他们的计划。

可是——怎么才能做到呢？

201

19　变身豆

　　我决定和他们玩一玩，敷衍一阵子，假装和他们一样是认真的。

　　我意识到，如果他们发现我不是什么司令，肯定会对我做出很可怕的事！

　　我想起了那只被瓦特生吞的松鼠。

　　开始作呕。

　　怎么才能逃走呢？我在想。

　　等我一旦脱身，马上就要告发他们——不管是向谁，只要肯听我讲就行！

　　"布兰达，让我看看这些豆子。"我说着，装出一副发号施令的样子。我的语气听起来很强硬，声调也平稳，可是，当我伸手去拿袋子时，手却是颤抖的。

　　我接过袋子，小心地解开上面的扎带，把袋子举到面前研究了半晌，然后又用力地闻了闻。

不，肯定不是巧克力豆。

这些豆子有一股淡淡的酸味，不难闻，但不是甜味，也不是巧克力味。

"每个孩子一颗，"我喃喃地说着，小心地看着他们，"每人一颗豆子。"

四只爬虫点了点紫色的脑袋。"每个学生至少一颗，"布兰达说，"足够把他们全变成爬虫。"她猛地咬了咬长长的两排尖牙。

不能让这种事情发生，我暗下决心。

不行。

我要制止它，我要寻求帮助，不让他们得逞。

但我要先从这树林里脱身出去。

"嗯，我们会尽快再次举行爬虫集会，"我说着，把袋子还给布兰达，"我们每个人都要思考一个最佳方案，然后电话联系，挑个好机会再聚一次。"

我转过身，向街道的方向走了两步。

只走了这两步。

瓦特满是疙瘩的长舌头缠住了我的脖子，用力一拉，拉得我转过身去。"可是，司令……我已经想出了一个好办法！"他说道。

"很好。"我极力忍住胃里的恶心，说了一句，我的皮肤还能感觉到那条黏湿的、长满肉疙瘩的舌头，"我们尽快再聚一次，讨论你的办法。"

"不——就现在！"瓦特坚持地说，"司令，我们一定要现在讨论。明天早上就可以实施这个方案了！"

"啊？明天？"我吃了一惊，"我想，最好还是再等等，"我说道，"你看，如果我们等到……"

他们全都看着我，露出怀疑的神气，紫色的长吻开开合合。

我又向瓦特转过身去："你的方案是什么？"

他深吸一口气，发出哮喘似的声音，开始说道："明天早上，我们一大早就赶到学校。餐厅的厨子全都早早上班了，第一件事就是准备午饭。"

"没错，这样巧克力布丁才有时间结成硬壳。"我说了句俏皮话。

没有人笑。

"我已经仔细地研究过厨房，"瓦特接着说道，"厨子们上午把饭菜摆好之后，就会休息十分钟，这就是我们的机会。如果趁他们休息的时候溜进去，就可以把豆子混进餐厅提供的食物里。"

"所有学生必须在餐厅吃午饭，这是学校的规定，"大卫接话说，"所以每个学生至少能吃到一颗种子。"

"到了午夜，他们就不再是人类，会变成和我们一样的爬虫。"杰瑞德补充道。

"你觉得我的方案怎样？会成功吗？"瓦特问。

他们都看着我，等着我回答。

"这个方案听起来非常不错，"我终于说道，一边揉着下巴，假装在用心思考，"明天我会跟你们讨论这件事，宣布我的决定。"

他们形如蜥蜴的脸失望地拉长了。"明天？"瓦特不满意地叫道，"但明天早上我们本来可以实行这个计划的，司令。我们种下豆子，到了明天晚上……"

我举起一只手打断了他，不容置疑地说："明天再说。"

然后我急急忙忙地转身就走，他们还在不满地咕哝着。我本来还担心会有谁抓住我，把我拉回去，但这一次，他们就这么让我走了。

我侧着身子钻过常绿灌木丛的一个缺口，然后就开始小步跑，穿过在风中颤抖的光秃秃的树林，穿过马路，沿路向自己家跑去。

我该怎么办？我边跑边想。

我不能听任他们把同学们都变成爬虫。我不能让他们把变身豆放到午餐供应的食物里。

可是怎样才能阻止他们呢？

如果劝他们罢手，他们就会发现我不是什么司令，会发现我是个冒牌货。

然后会怎样？如果他们得知我不是爬虫，会怎么对待我？他们会像瓦特吞掉那只可怜的松鼠一样，将我生吞活剥了吗？

肋骨跑得生疼，但我一直跑个不停。我想象着学校里的每个同学都变成了长满肉疙瘩的蜥蜴怪，想象着他们都在树林里，抓着松鼠囫囵吞下去。

我想象着我们懒洋洋地四处走动，用长舌头来击掌。

真恶心！

"我该怎么办呢？"我问出声来。

我是唯一知道爬虫存在的人——唯一能阻止他们的人。

我的行动要快。

20　爸爸妈妈，帮帮我！

"把土豆泥递给我，"爸爸嚼着满嘴鸡肉说，"还有烤饼，谢谢。"

我把东西从桌上递过去，又从桶里拿起第二条鸡腿。爸爸妈妈工作很辛苦，所以没有时间煮饭，一般都是在回家路上买点现成的带回来。今晚他们带的是一个炸鸡桶，还有一大堆配菜。

到家的时候他们总是饿得要命，在他们吃掉头一份食物以前，跟他们说话是没有意义的，在自己的咀嚼声中，他们甚至听不到你的声音！

我其实不饿，胃好像团成了一个结，看着那只鸡腿，我想的却是松鼠。

我一直等到大部分的鸡肉被扫光，才深深地吸了一口气，开始讲我的事。

"有件事我必须告诉你们。"我轻声地说。

他们俩一起从盘子上抬起视线，爸爸的脸上沾着一道土豆泥，妈妈伸手替他擦干净。

"学校里又有什么麻烦了吗，瑞奇？"她严肃地问道，"别的小孩又欺负你啦？"

"没有，不是这样，"我很快地回答道，"有件事我得告诉你们，我是说，我需要你们的帮助。嗯……那四个孩子……"

"深呼吸，"爸爸说，"从头说。"

"冷静点，"妈妈也说，"什么事让你这样怪怪的？"

"拜托——让我说完！"我叫了起来。

他们俩同时向椅背靠过去，放下了手里的叉子。

"那四个孩子，"我重新开始说道，"他们不是真正的小孩子。我以为他们是七年级的学生，但其实他们不是的。他们是爬虫。他们根本不是小孩，我是说，他们是学校的新生，在今年以前，我从来没有见过他们。不过我想……"

爸爸和妈妈交换了一个眼色。爸爸张开口想说句什么，但又改变了主意。

"他们是带着任务来的，"我说，"他们想把学校里所有的孩子都变成爬虫。他们有那种变身豆，一大袋子，准备分给所有孩子。"

我一口气说了这些，停下来喘了喘气，然后又接着说下去：

"他们以为我也是个爬虫，以为我是他们的司令。因为我在校报底边留了一个消息。他们想让我帮他们把所有的孩子都变成爬虫，可怕的妖怪！"

我又吸了一口气。我既激动，又紧张，觉得心脏都好像堵在了嗓子眼儿里。

我向桌子前挪了挪，先看看妈妈，再看看爸爸。"我们一定要制止他们的阴谋！"我叫道，"你们一定要帮助我，不能让他们把所有人都变成爬虫。可是，我们能做些什么呢？怎么才能让大家知道他们不是真正的小孩？怎样才能制止他们？你们一定要帮助我，一定要！"

我长长地嘘出一口气，倒在椅子背上，极力想让狂跳的心平静下来。

爸爸妈妈互相看了一眼，我看得出来，他们满脸都是担忧的表情。

爸爸第一个开了口。"瑞奇，"他轻声地说道，"你妈妈和我也是爬虫。"

21 克劳福德小姐，我最后的希望

犹如五雷轰顶，我差点儿从椅子上掉下来。

爸爸妈妈爆发出惊天动地的大笑。

"不，其实我们是火星人。"爸爸又说。

"胡说，我们不是火星人，"妈妈反驳道，"我们是狼人!"她拿起一块鸡骨头，做出狼啃骨头的样子。

"我们是火星狼人!"爸爸喊着，猛地仰起脑袋，发出狼一样的嗥叫。

然后他俩又哈哈大笑，好一副自鸣得意的样子。

"你们要认真一点儿!"我恳求地说。

不知为什么，他们听了这话，笑得更凶了。爸爸拿起餐巾擦眼睛，笑得连眼泪都出来了。

"瑞奇，有时候你能想出很棒的东西。"他说着伸手拍了拍我的肩膀。

"有想象力。"妈妈摇了摇头，"你真的应该把这个故事写下来，瑞奇，肯定能获奖的。"

"可这不是故事!"我跳了起来，生气地把餐巾往盘子里一扔，"为什么你们不相信我?!"

"啊，我们相信你——司令!"爸爸大声嚷道，"爬虫司令!"

他们俩再次爆笑起来。

我发出愤怒的号叫，转过身，跺着脚走出餐厅。我一边重重地上楼往自己的房间去，一边还能听到他们的笑声。

我狠狠摔上门，向着空气挥舞拳头。

要找人帮忙，一定要让某个人相信我说的话。

我跌坐在床上，盯着黑洞洞的窗外坐了好久，想等我的心脏跳得不那么激烈，让心绪平静下来。

可是我平静不下来，我激动得全身刺痛，脑子里乱哄哄的。

我一把从床头柜上拿下电话，狂按一通，打通了艾丽丝的电话。艾丽丝会听我说的，我心想，艾丽丝会相信我没有瞎编。

电话铃响了三声，四声，五声。

没人在家?

"接啊，艾丽丝!"我恳求地对嘟嘟作响的听筒说，

"要在家啊!"

足足响了十二声,我才挂断电话。

我用力把电话放回到床头柜上。等情绪稍微平静下来一点儿之后,我坐在桌边,打算做作业。

可是我集中不了注意力。

至少今晚电话没有响个不停,我心想,今晚爬虫们不会再打电话来了。

他们等着我的消息,等着我说清楚,同不同意瓦特的计划,同不同意一大早到学校去,把豆子混进午餐里。

我猛地合上自然科学课本。

"我要早点到学校去。"我说出声来。

但不是为了与那四个爬虫会合,不是为了把变身豆混到所有人的午餐里。

我要早早赶到学校去,跟克劳福德小姐谈谈,她是校长。我要把事情原原本本地告诉她,告诉她爬虫在她的学校里搞什么阴谋。

她会帮助我阻止他们的,我知道她一定会。

收音机闹钟叫醒了我,比平时早了半小时。我关掉它,听着卧室窗户上急骤的嗒嗒声。

我摇摇晃晃地走过去,从窗户往外张望。天色阴沉灰暗,冻雨潇潇地下着。

我打了个哈欠。昨晚我整夜翻来覆去，睡得很不安稳。

我很快地穿好了衣服，套上一件宽松的红褐两色法兰绒衬衣和肥大的褐色灯芯绒裤子，然后狼吞虎咽地吃完了早餐的橙汁和麦片粥。

"你今天起得很早啊。"妈妈睡眼惺忪地说，站在咖啡壶前等里面的咖啡流出来。

"嗯，我得走了。"我嘀咕了一句，抓起羽绒外套和背囊，匆匆走出大门。

我把棒球帽低低地压在眉毛上，小跑着走进冰冷的细雨中。这么阴沉的天气，一大早到处都灰蒙蒙的，没有一点儿亮色。

我一边向学校走去，一边想着该怎么跟克劳福德小姐说。我要好好说，按事情发生的经过，从头到尾，不落下任何一点儿重要的部分。

一路上，我只见过一个穿着灰色雨衣，正在遛一条斑点狗的人，除了他以外，整条街都是空的。

学校里也空空荡荡，走廊寂静无声，我的鞋被雨水打湿了，在地板上一步一滑。

我走进了校长办公室，里面也是空的，两位秘书还没来上班。但校长室里透出了灯光，我还听到一声咳嗽。

"克劳福德小姐，你在吗？"我叫道。

"在，"她大声应道，"谁呀？"

我听到她推椅子的声音，接着她一头白发的脑袋就从办公室的门边伸了出来。"瑞奇？"她惊讶地看着我，"真叫我意外，你今天到得好早呀，不是吗？"

"我……我需要跟您谈一谈。"我结巴着说。

她示意我绕过前台，到她的办公室里去。"出什么事了？"她一边在我身后关上门，一边问道。

"这件事说来话长……"我开始说了。

她会相信我吗？

22　没人能帮我，完蛋了

克劳福德小姐总让我想起黑白电影。她身材很矮，白色的鬈发，灰色的眼睛，还有一张非常苍白的面孔，总是穿着一身黑——黑色的长裤套装，或者黑裙子黑上衣。

我不知道她有多大年纪，只是猜她可能很老了。但她喜爱运动，充满活力，有时候还会在体育馆里加入到排球比赛的行列中。

我在她办公桌前面的直背椅上坐下。她移开一些文件，身子在桌面上向我凑过来。"我很高兴你来了。"她说着，收敛了笑容。

"啊？真的？"

"我正想找你谈谈，瑞奇，"她接着说，"我知道上个星期六的洗车日，发生了一点儿纠纷。"

她等着我说话，但我不知道该说什么。

215

"我听说，上个星期六你挑起了一场水仗。"克劳福德小姐严肃地说。

"我?"我叫了起来，"不是我挑起的！我……我……"

她扬起一只手，叫我住口。"瓦特曼先生——理查德的父亲——打电话向我投诉。他说他的车里全是水，他告诉我……"

"我就是想跟你说说他的事。"我打断了她。我发现，谈话已经偏离了我的主题，所以决定还是尽快扯回来要紧。

"我正想跟你说说瓦特，"我说，"嗯，是理查德。他不是小孩，嗯，他告诉我的，他是一个爬虫。"

克劳福德小姐张大了嘴巴，朝我直眨眼。

"你知道他的三个好朋友吗?"我急匆匆地说道，"他们也是爬虫。他们是妖怪，紫色的妖怪。"

克劳福德小姐五官移位，变成了一副大皱眉头的样子。"瑞奇……"她开口道。

"不——是真的!"我肯定地说，"他们就是妖怪。他们自称是爬虫！这是他们亲口对我说的。我看到了！瓦特还吃掉了一只松鼠！他是个爬虫!"

看来情况不太妙，我发现克劳福德小姐额头上的褶皱越来越深。用这种方式讲我的事，跟原计划可不一样。可是现在已经来不及了，我只能继续。

216

"我是他们的司令，"我对校长说，"至少，他们以为我是他们的司令。不过其实我不是。他们……"

克劳福德小姐猛地站了起来。"瑞奇，你还好吗？"她问。

"他们想种下豆子，把全校的人都变成爬虫，"我惶急地说下去，"他们想……"

她绕过桌子边，用一只手来摸我的额头："你发烧了吗？额头有一点儿热。"

她后退一步，仔细看我的脸。"要不要去看医生？她一般很早就到学校。"

"不，不要医生！"我叫道，"你不明白，不能让任何人吃学校餐厅的食物！因为他们是妖怪！"

克劳福德小姐挠了挠头顶。"要不要我送你回家？"她问，"有没有哪里难受？我可以派人把你送回家。"她伸手去拿电话，"你爸爸妈妈还在家吗？我可以打个电话给他们。"

"不——拜托！"我从椅子上跳了起来，"我很好，真的。"

她不相信我，根本听不进我说的话。

"开个玩笑，"我边说边往门口退，"只是开个玩笑，真的。我对瓦特曼先生的车感到很抱歉，那是个意外，水管脱手了。"

217

我摸索着房门，然后开门退了出去。

"瑞奇，等等！"克劳福德小姐喊道，"我真的认为你应该去看医生，只是聊一聊，你看上去情绪不稳定，如果跟她聊聊……"

"我很好，真的。"我坚持说。

我转过身，跑过接待室，跑出门去。

到了空无一人的长长的走廊里。

心在胸膛里扑通乱跳，我刚一转过拐角，迎面就碰上了瓦特他们。

"啊！"我一声惊呼，"你们在这里干什么？"

"很高兴你加入我们，司令，"瓦特悄声说着，在走廊里东张西望，"走吧。"

"走？上哪儿去？"我问。

"餐厅。"他答道。

23　餐厅投毒

我转身去找克劳福德小姐，可是，她待在校长室里没出来，走廊里没有人。

瓦特和大卫一左一右夹着我，布兰达在前面领头，杰瑞德在我身后紧紧跟着，大家向楼下餐厅走去。

他们包围了我，我身不由己，不跟着走也不行。

一下楼就可以看到打开的厨房门，明亮的白光一直照到走道里。

我深深地吸了一口气。

是什么气味？金枪鱼沙锅菜？

我能听到几个女人说话的声音，厨子们在烤炉边忙个不停。

布兰达带路，我们五人静悄悄地向厨房门走去。现在能听到锅碗瓢盆的碰撞声，还有什么东西在炉子里烤发出的吱吱声。有个女人一声咳嗽，又有人哈哈哈地笑了起来。

布兰达突然一个急转身，我差点儿撞到她。她把什么东西塞到了我的手里。

是那一塑料袋变身豆。

"这个光荣应该属于你，司令，"她庄严地小声说，"你来把豆子混进食物里。"

"呃……这个……"我的后背紧贴着瓷砖墙，百般地不情愿，不想走进厨房，不想要这个播种豆子的光荣。

"也许，我们应该以后再来，"我提议，"还记得我建议再等等吗？我叫你们等到……"

"我们别无选择，"杰瑞德低声说，"我们知道你想顺利完成任务。"

"祝你好运。"布兰达柔声说道。

大卫和杰瑞德用力一推，将我推进厨房。

我双手紧抓那袋豆子，在明亮的光线下连连眨眼。宽敞的厨房里，三个身穿白制服白围裙的女人远远地在我对面，站在靠墙的几个烤炉边。

她们背对着我，高高的汤罐在火炉上咕嘟咕嘟地翻滚，直冒热气。

我艰难地咽了咽口水。只要有一个人转过身来，就会马上看到我。

我溜到靠近门廊的柜子后面。前方是一长排亮闪闪的铝合金柜台，上面摆着大盘大盘的食物，有芝士通心粉、蒸西兰花，还有一大盘金枪鱼沙锅菜。

我估计了一下，要到达柜台边，得走上大概十步。真近！

也许可以就这么冲上去，冲到柜台边，把豆子撒进其中一盘食物里，然后冲出门去，十秒钟内就可以完成。

就算哪个厨子转过身来，没等她叫喊出声，我就可以完成任务并逃之夭夭。

在想什么呢？我一面紧靠着柜子，一面问自己。

我压根儿不想完成这个任务！

我回头向厨房门扫了一眼。四个爬虫挤在一起，全都看着我。他们向我焦急万分地挥着手，示意我加紧行动。

我没有办法，想逃都没有别的出路。

我不得不过去种下豆子。

我狠狠地吸了一口气，然后憋住不呼气。接着，我一面盯着三个厨师穿白制服的背影，一面飞快地溜到了长长的柜台前。

还差几步的时候，我停了下来。在我正前方的柜台上，是一个巨大的方形金属盘，上面堆满了刚出炉的热气腾腾的芝士通心粉，强烈的芝士味扑鼻而来。

我不能这样！我心想，不能！

我转过身去。四个爬虫把身子探进了门廊里，堵住了我的出路。他们正没命地朝我打手势，叫我把豆子撒下去。

我向装通心粉的餐盘转过身去。

我举起了袋子。

我打开了袋子。

他们看着我，我知道，他们正眼巴巴地看着。我必须照办，否则他们就会发现，我不是他们的司令。

我必须干下去。

可是，突然间灵光一闪——我想出了一个办法。

24　变身豆通心粉

我一只手托住袋子底部，把它在身前提了起来。

然后我转回头，冲四个怪物竖了竖大拇指，接着就向摆食物的柜台又迈了一步。

又一步。

接着我就假装被什么东西绊了一下。

我张开双手向前扑去，袋子脱手飞出。

倒下去的时候，我还做出手忙脚乱想接住袋子的样子。

但是袋子打在了铝合金柜台的边上，立即翻了一个身，然后落在地板上，里面的豆子撒得一地都是，我眼看着它们四处乱滚。

袋子躺在我面前，空空如也。

好！我成功了！我挫败了他们的阴谋！

我脸上挂着一个难过的表情，双手和双膝并用，爬出了厨房。

　　瓦特拉起我，带我离开敞开的门廊。

　　我悲伤地摇着头。"对不起，"我喃喃地道，"真抱歉，我让大家失望了。"我装得好像眼泪都快流下来了，"真的，我真的很抱歉。"

　　"没关系。"杰瑞德答道。

　　他从大衣口袋里又拿出一袋豆子，往我手上一拍。

　　"我们总是会多带一份的，"布兰达小声说道，"谁知道什么时候用得上呢。"

　　"呃……真走运。"我答道。

　　"赶紧去吧！"瓦特轻声喊着，在我背上拍了一记，"这一次不会失败的，司令。"

　　他们四个又把我推进门里。

　　我眨着眼，让眼睛适应厨房里明亮的光线。三名厨子还在炉边忙碌着，依然是背对着我。

　　我蹑手蹑脚地走到放食物的柜台边，垂眼望着热腾腾的通心粉，右手紧紧抓着那袋豆子。小小的袋子似乎有千斤重。

　　我在冒热气的通心粉上方举起了袋子。

　　回头向门口望去，四个爬虫全都把身子斜探进门里，不眨眼地看着我。

我扭头面对柜台，在放通心粉的盘子上更高地举起袋子。

没别的办法，我心想，到这一步不干也不行了。

我把整袋豆子倾倒在通心粉和芝士表面，然后迅速向门口转过身去，踮起脚尖，准备溜出厨房。

"搅一搅!"布兰达小声说道，做了一个搅拌的手势。

"嗯?"我在离门口还有几步的地方停住了。

"把豆子搅进去!"她急切地压低声音说，"不能让人看见!"

"啊，对。"

我又转过身去，偷偷回到那一大盘芝士通心粉旁边，拿起一只长柄木勺，把豆子拌进面条里，然后转身又悄悄走向门口。

我走了三步——这时，两只有力的胳膊从后面粗鲁地抓住了我的肩膀。"你在这里干什么，年轻人?"一个女人的声音暴喝道。

25 厨师的咆哮

那双手将我的身子扳得向后转去，我向上一看，看到了马歇尔太太怒气冲冲的面孔。"你在这里干什么?"她又问了一句。

马歇尔太太是个好厨子，是我们最喜欢的一个。午餐时间，她总是一边给大伙儿盛吃的，一边跟每一个人打趣逗乐。

不过现在她可不是在开玩笑，她知道我不应该出现在厨房里。

发网紧紧扣在她黑压压的发卷上，她歪着头，双手插在白色围裙的裙兜里，等着我回答她的问题。

我向门口瞄了一眼，看到那四个爬虫正往里面偷看。

"马歇尔太太，"我悄悄地说，"不要给大家吃通心粉。"

她乜斜着眼睛看着我："嗯？大声点儿，年轻人。"

"别给大家吃通心粉，"我提高了一点儿音量，不过还是很小声，这话我不能大声说，瓦特和他的三个同伙会听到的，"求你了——不要让任何人吃通心粉。"我恳切地说。

"你到底在说什么？"她大声地问道，"干吗说话像蚊子似的哼哼？"

"别给人吃通心粉，"我重复一遍，还是像耳语一样，"有毒。"

她恼火地发出一声呻吟。"年轻人，我们的通心粉好吃着呢，"她声明道，"我已经受够了你们拿我们煮的东西开玩笑。"

"没错!"另一个厨子戴维斯太太，在房间另一头插了进来，边说边朝我挥动手里的长柄搅拌勺，"我们做的都是又好吃又健康的东西，味道就和家里的一样。这些可恶的玩笑我们已经受够了。"

"我们也是有感情的人哪，你知道。"马歇尔太太加了一句。

"我们的通心粉用的是真正的芝士，"戴维斯太太朝我喊道，手里的大勺子还在挥舞不休，"可不是那些人造的玩意儿，还有真正的意大利通心粉。"

"说得对!"第三名厨子也喊道。她是新来的，我不知

227

道她的名字。"让他尝尝，艾丽丝。让他尝尝那通心粉，他会知道有多好吃。"

马歇尔太太弯下腰对我说："好主意。你想吃一小碗通心粉吗？"说完，她向柜台走去。

"尝尝吧，你就不会再开什么玩笑了。"戴维斯太太说。

马歇尔太太为我舀出一小碗通心粉。

我背朝门口连连后退。"不，拜托，谢谢，我不吃。"我语无伦次了。

到了门边，我对她们说："我……我早餐吃了一大堆东西。"

说完我转身就跑。再次撞见那四个爬虫的时候，他们都欢呼雀跃起来。

"司令……你成功了！"瓦特高兴地大叫，"你已经种下了豆子！"

他们又是一阵鼓掌欢呼，还拍我的背，一个个眉开眼笑。

"现在，我们只要等到下午，"布兰达说，"这所学校里将会爬满爬虫！"

26　通心粉救了大家

午餐时我没有到餐厅去，而是躲在了楼梯间里。肚子咕咕作响，但我不去管它。

我不忍心看着同学们一个个大口大口地吃通心粉，吞下那些会把他们变成吃松鼠的爬虫的豆子。

满是紫色蜥蜴怪的学校，我苦涩地想，都是我的错……我的错。

整个下午，老师讲的课我一个字也听不进去。艾丽丝想跟我说话，但我却装出用心听课的样子。

我坐在桌边，仔细看周围的同学，看他们是不是开始出现变形的迹象，等着我种下的豆子发挥邪恶的力量。

可是我没看到任何异样，没有疙瘩遍布的紫色皮肤，没有吞吞吐吐的长舌头。

同学们一切正常。

229

放学以后，四个爬虫在运动场等着我。他们围着我，把我带到对面树林里的秘密地点。

瓦特愤怒地将一块石头一脚踢飞，大卫和杰瑞德一边摇头，一边嘴里不高兴地嘀咕着什么。

"没起作用，"布兰达柔声地说，"豆子没起作用，变形的一个都没有。"

"什么地方出问题了？"瓦特问，"怎么可能有问题呢？"

他们全都瞪着我。

突然，我知道了答案，我明白了为什么同学们一个都没有变成爬虫。"没有人吃通心粉。"我冲口而出。

我真该在自己屁股上踢一脚。为什么要告诉他们？为什么要透露给他们？

他们朝我眯起眼睛："嗯？"

"从来没有人吃通心粉，"我既然说了开头，那就只好说下去，"这是学校的惯例，这么多年来，通心粉都没被人动过！"

四个爬虫同时哀叹起来。

瓦特朝我踏近一步，看着我，满脸怀疑的神色。"你怎么知道的，司令？"他质问道，"你比我们只早到了几天而已，你又怎么知道通心粉一直没人吃？"

我的应对一定要快。如果他们发现我不是爬虫，八成会把我撕成碎片，或者吃了我，或者做出别的什么事来！

　　"呃……我们班的一个同学告诉我的，"我低下头，答道，"我应该早点想起来的。任务失败，我让你们失望了。"

　　"不，没有，"布兰达接话说，"我还有豆子，并且有一个新的计划，更好的。"

　　爬虫们向她看去。"说说你的计划，"杰瑞德说，"豆子很快就要失效，我们时间不多了。"

　　"很简单，"布兰达耸耸肩答道，"我们把豆子烤进饼干里，然后在星期六的点心集市上，免费送给他们吃。"

　　"好主意！"大卫大叫一声。

　　"哦耶！"瓦特和杰瑞德欢呼起来。

　　"每个人都愿意吃免费的饼干，"布兰达露出邪恶的笑容，"这样每个人都变成了爬虫。"

　　布兰达的笑让我全身如坠冰窟。我用力咽了咽口水，嘴里突然干得不得了。

　　我知道，她的计划一定能成功。我知道，学校里没有谁会错过免费赠送的饼干。

　　我该怎么办？我在心里自问，怎么才能阻止他们？

　　他们一起转向我。"我们该不该烤点饼干，司令？"瓦特问，"我们可以按布兰达的计策行动吗？"

　　我也看着他们。他们正热切地等着我回答，我不知道他们是否看得出来，我的两只膝盖直打战。

"呃……"我深吸一口气，暗下决心，一定得做点什么，一定要想出办法制止他们。

"我不喜欢布兰达的计划，"我极力让声音显得低沉而稳定，"我觉得应该把豆子留到以后再用，应该种到地里去，看能不能发芽，那样的话，也许就会有更多的变身豆了!"

我知道，我知道，这是一个很蹩脚的借口。

但这是我脑子里冒出来的唯一一个主意。

他们会接受吗? 我心想。

他们会放弃布兰达的计划，采用我这个吗?

他们会同意把豆子埋进土里吗?

不可能。

片刻之后，我就明白，我犯下了这辈子最大的错误。

27 终于露馅了

"埋进土里?"布兰达失声叫了起来,"埋起来?"

四人同时向我逼近,将我围在一个更小的包围圈里。

我紧张地四下张望,想找一条可以逃跑的路。可是他们已经困住了我。

"你真的是司令吗?"瓦特质问。

大卫和杰瑞德面带讥讽地看着我。"一个爬虫司令是不可能叫我们把变身豆埋进土里的。"杰瑞德不怀好意地说。

瓦特的脸向我逼近,近到跟我脸对脸。"证明一下你就是我们的司令。"他命令说。

"没错,证明你是个爬虫!"大卫叫道。

"拿出证明来! 拿出证明来!"他们四人一遍一遍地齐声大叫。

233

我连吸冷气，朝身后退去，但他们仍将我困在当中。

　　"拿出证明来！拿出证明来！"

　　随着这鼓噪声，他们再次开始变形。他们的皮肤鼓起一个个小球，并变成了紫色，他们的头发缩进脑袋里，下巴越拉越长，冒出尖尖的利齿。

　　"拿出证明来！拿出证明来！"他们叫嚣着，"证明你是个爬虫！"

　　我瞪着他们，既不能动，更不能跑。我能怎么办呢？

　　"证明你是个爬虫！"他们要求道，"马上证明！"

　　一双双狂野的眼睛闪闪发光，遍布全身的紫色肉瘤瑟瑟颤动，他们一点点向我逼近。

　　我知道，这下我是死定了。

28 副司令的饼干计划

"拿出证明来！拿出证明来！"

他们喊叫着，满是疙瘩的长舌头在我面前忽闪忽闪的。

"证明你是我们当中的一员！快变形！变形给我们看看！"

我困难地咽着口水。他们盯着我，等着我，一声声地催着我，叫我变形。

要我变形，他们得一直等，一直等……

"变形！变形！变形！"

他们马上就要知道我的底细了。

我还是老实坦白吧，然后求他们放过我。"呃……伙计们，听我说……"我开口道。

就在这时，一个女孩的声音在叫嚣不止的爬虫们背后喝道："停!"

所有人都把头转了过去，只见艾丽丝从一棵高高的常青树后面跑出来。四个爬虫发出惊讶的呜噜声，眼珠在紫色的蜥蜴头上乱转。

"我是司令的副手!"艾丽丝大声宣布，长长的耳环剧烈地晃动，"我是副司令!"

爬虫们疙疙瘩瘩的长舌头缩进突出的嘴里，愣愣地看着艾丽丝，陡地安静下来。

"司令和我现在不打算变形，"艾丽丝声色俱厉地对他们说，"我们没有时间，必须马上动手做饼干，为点心集市把豆子准备好。"

"好啊!"爬虫们向艾丽丝发出欢呼。

"谢谢你，副司令，"布兰达说，"我很高兴你赞同我的计划。"

"你的计划会成功的，"艾丽丝回答，"我们会把整个学校的人都变成爬虫，跟我们一样。马上行动，到我家去烤饼干。"

四个蜥蜴怪又爆发出一阵欢呼，互相击打舌头，一瞬间又恢复了孩子的外貌。

皮肤的紫色消失了，颤动的肉瘤平复不见，长长的吻收缩变短，他们的脸在一阵扭曲后，又变成了我认识的那几个孩子的脸。

就在他们变形的当儿，我凑过去在艾丽丝耳边悄悄地说："艾丽丝……你真的和他们是同类吗？"

"是，司令，"她应了一句，眼睛一眨不眨地看着那四个爬虫，"别担心，新计划不会失败的。"

我张开嘴想说什么，但没发出声音。我真不敢相信，艾丽丝——是个爬虫！

我们走在树林里，艾丽丝带路，向她家走去。

下午的太阳挂在光秃秃的树梢后面，空气蓦地变得寒冷凝滞。我全身一阵一阵地直起鸡皮疙瘩。

我的处境万分危险。

学校的全体同学也一样。

我们走进了艾丽丝家的厨房。为什么艾丽丝要救我？我好生奇怪。她明明知道我不是同类，她知道我不是一个爬虫。

可是，为什么她要从另外四个爬虫手里把我救下来呢？

趁着他们四个去拿面粉、鸡蛋和其他一些配料，我把艾丽丝拉到一边。"你知道我不是爬虫，"我小声说，"为什么要救我？"

"我也不是爬虫，"她小声答道，"不过我发现你的处境很不妙。"

"你怎么知道？"我大为吃惊，回头朝厨房看了看，生

237

怕爬虫们在监视我们。

"你本来约我在运动场见面的——还记得吗?"艾丽丝悄声道,"我看到他们把你往树林里拖,就跟了过去,后来发生的一切,我全都听到了,也全都看到了。"

"嗯,谢谢你救了我。"我答道,"可是,现在你也有危险了。"

她点了点头。"我知道,不过我必须要救你呀——对不?"

"我们怎么救其他同学呢?"我小声问。

"问得好,"艾丽丝回答,"我们现在得去烤饼干了,不去不行。等到了点心集市上,我们会想出办法,不让同学们吃饼干的。"

"嗯,没错。"我转了转眼珠。

要怎样做,才能让孩子们不去拿送到嘴边的饼干呢?

怎样?

29 我一定要救大家

星期六的早上，艾丽丝和我，还有那四个爬虫，拿着几个大大的托盘，走进了体育馆。

好热闹！

全校的学生都来了。他们跑前跑后，把盘子里装的烘制点心拿到桌子上，说说笑笑，玩玩闹闹。

一边的篮球架下已经搭起了演讲台，上面支着麦克风。长长的一溜儿桌子从一面墙排到了另一面墙。

艾丽丝和我一起向桌子走去，四个爬虫紧跟在我们身边，一面是保护饼干，一面是监视我们的一举一动。

加了变身豆的饼干堆了满满两大盘，我们烤了有几百片，全校同学一人一片都绰绰有余。

我们经过了一群正大嚼特嚼核桃仁巧克力饼的孩子身边。旁边的一张桌子边，威廉姆斯小姐——我们的老师，正忙着切一块芝士蛋糕。各处的桌子上摆满了装了饼干的盘子，恐怕有上百只。

各种标志牌上都贴着价钱，每样东西都要一美元，没有免费的。

我们的饼干是全场唯一免费的。

怎么才能让同学们不吃呢？怎么才能确保没有一个人吃到这种饼干？

我们向桌边走去，但被瓦特抢上一步拦住了。"现在开始发饼干吧。"他催促道。

"对，没理由再耽搁了。"布兰达赞同道，"咱们快把饼干发出去，体育馆里已经挤满了学生，再过几分钟，我们就会有几十个爬虫新成员了。"

瓦特伸手来拿盘子。

大卫和杰瑞德掀掉了包着饼干的塑料纸。

我知道，我应该行动了，马上行动！

可是我能怎么办呢？

瓦特取走了我双手捧着的那盘饼干。这时，我想出了办法。

我绕过他，绕过一群狂吃巧克力蛋糕的家伙，跳上了演讲台。塔莎正在那儿准备发表一通欢迎辞，却被我一把抢走了麦克风。

"注意！注意，各位！"我高声叫道。

　　尖厉刺耳的声音从麦克风里发出，吸引了在场所有人的注意。我惊慌失措的叫声在体育馆高高的墙壁间回荡。

　　"不要吃免费的饼干！"我大叫，"拜托——听我说，同学们！不要吃免费的饼干！不然的话，你们都会变成妖怪！你们全身会长满肉瘤，变成紫色的像蜥蜴一样的爬虫！还有……还有……你会活吞松鼠！"

　　大伙儿哄堂大笑，笑声淹没了我气急败坏的声音。

　　"你们一定要相信我！"我冲着麦克风尖叫，瓦特和大卫向演讲台跑了过来，"一定要相信我！别碰那些免费的饼干！"

　　笑声越来越响，到最后我已经听不到自己说的话了。

　　"放下麦克风！"塔莎尖叫一声，想从我手里把麦克风抢回去。

　　两个老师冲上来，把我拉开。

　　"呆子瑞奇！呆子瑞奇！"塔莎带头有节奏地喊了起来，接着，其余所有人，好大的一群人，同声加入。

　　"呆子瑞奇！呆子瑞奇！"体育馆里轰轰作响，全是他们的呐喊声、哄笑声。

　　我能感觉到，我的心一直沉到了身体的最底处。

　　"呆子瑞奇！呆子瑞奇！"这喊声令我觉得头都要爆炸了。

　　我想捂住耳朵，我想跑，我想就此消失不见。

如果他们只是一味地耻笑我，我又怎么救得了他们呢？如果他们不肯听我的话，我还能做些什么呢？

这时我又有了一个新的想法。一个比抢麦克风恳求他们更拼命的想法。

"呆子瑞奇！呆子瑞奇！"塔莎率领大家喊个不停。

我尽力不去理会那些笑声、呐喊声。我知道我只有几秒钟的时间去展开行动了。

我的办法能行吗？

也许不行。但这是我混乱的头脑唯一想得起来的。

我要自己吞下所有的饼干，我暗下决心。

我要把盘子抢过来，吃掉所有的饼干，从而拯救全校同学。

我猛地扑了过去，挤过一群呐喊不已的同学，从瓦特的手里抢走托盘，张开嘴拼命地吃了起来。

30　奴隶主的诱惑

"哇!"

什么东西打中了我的前额,我叫出声来。

不疼,但吓了我一跳。

我伸手一摸,湿腻腻、黏糊糊的。有人朝我扔了一块巧克力派。

同学们哈哈大笑。塔莎跑过来,给我照了一张相。

"喂!"我生气地喊了一声。

"呆子瑞奇! 呆子瑞奇!"这一边在高唱。

"瑞奇·老鼠! 瑞奇·老鼠!"那一边在应和。

有人向我扔核桃仁巧克力饼。我矮身一闪,它从我的肩头飞过,托盘差点儿从我手里掉下去。塔莎笑嘻嘻地又给我照了一张。

"你傻了吗?"我喝道,"我在救你呢!"

"呆子瑞奇！呆子瑞奇！"

"瑞奇·老鼠！瑞奇·老鼠！"

他们不知道自己有多危险吗？我心想。为什么他们要这样捉弄我？为什么他们总是捉弄我？我只是想救大家！

"呆子瑞奇！呆子瑞奇！"

有人用一块滑溜溜的芝士蛋糕打中了我的前胸。

我举起托盘，对自己说，一定要救他们，不要理会这些叫喊声和笑声，不要理会他们的戏弄和欺负，一定要拯救所有人！

瓦特和布兰达走到我身边。"司令，你还在等什么？"瓦特问，"发饼干啊。"

"让他们叫好了，"布兰达说，"一旦他们把饼干吃下去，就会全部变成爬虫。你就会成为他们的首领，他们都是你的奴隶！"

一定要救他们，我不断地对自己念叨，一定要救他们，一定要救他们……

我突然转向布兰达："嗯？你说什么？"

"我说他们全都会变成你的奴隶！"布兰达在叫喊声和哄笑声中，用力喊道。

我的奴隶？

我的奴隶？？

我的奴隶？？？

有人又朝我扔芝士蛋糕，我弯腰一闪。

"呆子瑞奇！呆子瑞奇！"他们喊道。

"给——塔莎——吃块饼干！"我大叫一声，向她伸出托盘，并看着她拿了一块。

"来吃饼干！免费的饼干！"我用最大的音量喊道。

一只只手急切地伸向饼干。我在体育馆里飞快地走来走去，愉快地向每一个孩子递上饼干。

"大量赠送，人人有份！"我高喊着，"没错——不要钱的！最好吃的！免费饼干！免费饼干！对，人人有份！吃啊！人人都吃！免费饼干！"

我朝我那四个伙伴竖起了大拇指，自己也拿了一块饼干。

味道不错，有点儿硬，但甜得很。

我环顾体育馆，看到每一个人都在吃着这免费的饼干。

从此以后，我对自己说，这儿的局面就大不一样了。

我已经急不可待了！

预告

荒 村 雪 怪

（精彩片段）

11　夜半嗥叫

　　我倒吸了一口凉气，心想，一定是有人在跟踪我。

　　可很快，我就反应过来，那个长长的黑影是雪人的，斜斜地映照在路面上。它的树枝手臂一只举起，一只平伸着，看起来特别长，像是在向我示威。

　　我跨过影子，横穿马路。可又一个黑影落在了我的身上。

　　又一个雪人，像是同从一个模子里出来的雪人。

　　怪雪人的影子相互交叠在一起。我突然感觉自己就像走在一个黑白的世界里，在这里，到处都是幽暗的脑袋、飘动的围巾、树枝般的手臂——一切都在摇晃、在摆动。

　　怎么会有这么多雪人？

　　村子里的人为什么要把它们造得一模一样？

　　又是一声嗥叫，我立刻抬起头来，这声音听起来好像离我更近了，而且听起来绝对就是人发出来的！

后背像是被浇了一盆冰水似的。

我转过身。还是回家吧，我暗下决心。

心跳得厉害。那嗥叫声实在是太近，确实把我吓坏了。

我不由得加快了脚步，一边往前走一边挥动着手臂，艰难地顶风前行。

可没走几步，在一座房子的门口，我突然看见一个戴着围巾的雪人。

它竟冲我点了点头！我顿时吓得喘不过气来，僵在那儿一动也动不了。

"不——"我失声惊叫起来。

它点头了。雪人冲我点头了！

接着，雪人的脑袋滚落到地上，砰的一声爆裂开来。

哦，我明白了，那是风吹的，雪人才会点头。那个带伤疤的脑袋掉到地上，也是风吹的。

都大半夜了，又冷得吓人，我在这儿干什么？我问自己。

真是怪异。

而且，就在不远处，不知什么东西还在撕心裂肺地嗥叫。

我看了看院子那边的无头雪人。它的脑袋已经变成了一堆粉碎的白雪，只有红围巾还挂在它圆鼓鼓的身体上，在寒风中飘动。

我又哆嗦了一下，转身往家跑去。

我跑过一个又一个黑黢黢的雪人影子，踩过舞动的手臂和带伤疤的脸投射在地上的阴影。

每个院子里都有一个雪人，它们在路旁列队，活像是巡夜人。

半夜三更走出家门，我怎么会有这么疯狂的想法。我真是后悔极了，恐慌折磨得胸口直发紧。我多想现在就回家，多想回到我那安全的新家啊！

我看见一个雪人冲我挥了挥它那只有三个手指的胳膊，它那黑黑的嘴巴又冷冷地笑了笑。我拼命地往回跑，一路上脑子里都是那首歌谣……

> 大雪纷飞，
> 天色已黑，
> 当心雪人，我的宝贝。
> 当心雪人，
> 带来寒流身后追。

不远处，就是我的家了。于是，我深深地吸了口气，向前冲去。

251

一到这个地方，那首歌谣就一直萦绕在我的心头。这古老的歌谣伴随着我的童年，又跟随着我来到了这古怪的新家。

今天我为什么会突然想起它来呢？

它想告诉我什么？这么多年都已经忘却了，怎么又会想起这些冷冰冰的词句呢？

我得想想它的下半部分，想想下一段说的是什么。

可怕的噪叫声再次响起，就像救护车的警报声。这一次，它离我更近了，就在我身后，于是我飞快地转过身。

我扫视着路面和院子，什么也没有，没有狼，也没有人。

又一声噪叫在我耳旁响起，像是又近了一步。

有人在跟踪我吗？

我双手捂住耳朵，真不想再听到那可怕的声音！我在雪地上飞奔，拼命地往家飞奔。

刚跑到狭小的家门口，又是一声长长的噪叫，我吓得直哆嗦。

更近了，实在是太近了。

有人在跟踪我！

我抓住门把手，拧着往里一推。

不！

门一动不动。

我又用力拧，左边右边，使劲儿拧。

我又是推又是拉。

门锁了。

我把自己锁在外面了！

预告

疯狂飞行记

（精彩片段）

22　学校里的比赛

第二天早晨的体育课上，我把威尔森揪到一边，质问他："你疯了吗?"我大叫道，"我们不能比赛!"

"哦，得啦，不要怕输。"威尔森咧嘴傻笑着说，"你这么激动是因为你知道你输定了。"

在体育馆的另一头，我听见格罗斯曼先生正在跟全班说这次比赛的事儿。"一次特殊的比赛，"我听见他说，"威尔森信誓旦旦地说一定会让我们大开眼界的。"

我用手捋了捋头发。

"威尔森，你难道不明白自己做了什么吗?"我的声音高了八度，"如果大家知道我们会飞，我们的生活将会被毁掉的。"

威尔森耸了耸肩，然后弯下腰去系鞋带："我不知道你担心什么，会很酷的!"

我扫了一眼体育馆，空空如也。全班同学都出去了，等待着比赛开始。

　　"准备好了吗？小伙子们？"格罗斯曼先生在门口探头张望。

　　"好了！"威尔森喊着回答。

　　威尔森推着我穿过大厅，大厅已经空荡荡了。

　　"来吧，杰克，全校师生都在外面了！"

　　全校师生，倾巢而出了。

　　马里布中学的所有同学都来看我们飞行了，这真是一场灾难。

　　这样一来，我知道我的一生都会改变了。

　　我们走进操场。我眯眼看了看耀眼的阳光，看了看那一大群同学，他们挤在跑道的沿线，等待比赛开始。

　　有人拽了拽我T恤的袖子。

　　是米娅。"杰克，你为什么要这样做？"她问我，她的眼睛睁得大大的，里面满是恐惧，"威尔森告诉我你要飞翔。"

　　"我……我其实……并不想，"我结结巴巴地说，"但我没辙，别无选择。"

　　米娅手搭凉棚，瞅了远处的威尔森一眼。她的红宝石心形戒指在阳光下闪烁着耀眼的光芒。

　　我俩都看到威尔森在起跑线上拉开了架势。"我很担心你们两个。"米娅说，她两眼一直锁定在威尔森身上。

我向人群望去。

同学们两只脚在不安地换来换去，观察着，等待着。

我很想逃跑。

跑回家躲起来。

"嘿，杰克！"雷在人群中喊道。"别害怕！你能赢他！"伊桑站在雷旁边，挥舞着拳头。

"威尔森准备好了。"格罗斯曼先生跑了过来，"你准备好了吗，杰克？"

同学们开始有节奏地喊："加油！加油！加油！"

我的太阳穴开始狂跳。

我的 T 恤贴在皮肤上，湿漉漉的，浸透了汗水。

我要做什么呢？

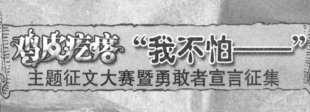

鸡皮疙瘩 俱乐部，进行时1……

下面的这段话你要牢牢记住哦。瞪大眼睛看清楚，可能你的人生会就此转变。

鸡皮疙瘩 "我不怕——"
主题征文大赛暨勇敢者宣言征集

你是不是在生活中经常遇到一些惊险、有趣的事呢？把这些让人起鸡皮疙瘩的故事告诉我们吧。参加"我不怕——"主题征文大赛和勇敢者宣言征集，你的作品将有机会入选《鸡皮疙瘩"我不怕——"主题征文大赛获奖作品选》。本书将由接力出版社于2010年12月正式出版，你还将有机会获得著名作家的亲自点评。

大赛指南

一、选手资格

凡购买"鸡皮疙瘩系列丛书"的读者，持有本页左下方的"我不怕——"标志，即可成为选手。

二、参赛要求

1. 以"我不怕——"为题，发挥你的创意或者记录你身边的惊险故事，字数500—1000字。
2. 以"勇敢"为主题，说出自己的勇敢宣言。字数不超过50字。

三、参赛方式

选手将作品和"我不怕——"标志一起寄到北京东城区东中街58号美惠大厦3单元1203室接力出版社"鸡皮疙瘩"编辑部，邮编100027。来信请留下详细的通信地址和邮编。应广大小读者的热切期望，本活动截止时间至2010年8月31日。

四、评选和奖励

获奖作品将入选《鸡皮疙瘩"我不怕——"主题征文大赛获奖作品选》，本书将于2010年12月由接力出版社正式出版。获奖名单及入选作品将于2010年10月在全国重要媒体和接力社网站上公布。

特等奖20名

获奖征文将得到著名作家的亲自点评，入选《鸡皮疙瘩"我不怕——"主题征文大赛获奖作品选》图书，作者获稿酬50元，由接力出版社赠送样书两册。

优秀奖100名

获奖征文入选《鸡皮疙瘩"我不怕——"主题征文大赛获奖作品选》图书，作者获稿酬50元，由接力出版社赠送样书两册。

鼓励奖500名（仅限勇敢者宣言）

接力出版社赠送《鸡皮疙瘩"我不怕——"主题征文大赛获奖作品选》样书一册。

欢迎参加！

《鸡皮疙瘩"我不怕——"主题征文大赛获奖作品选》将收录100篇获奖优秀征文、500个勇士的宣言）

网络独家支持： 腾讯儿童 KID.QQ.COM http://kid.qq.com/jp

"神奇力量值"寻找行动
——有奖集花连环拼图游戏

奖品和奖励

来看看这些诱人的奖品吧，这是对勇敢者的犒赏！还等什么，赶快行动吧！

特等奖1名： 升学大礼包，价值3000元

一等奖5名： 名牌MP4一个，价值500元

二等奖50名： 超酷滑板一个，价值100元

三等奖500名： 接力出版社获奖图书一册

（以下十种任选一本）

《黑焰》、《万物简史》、《舞蹈课》、《亮晶晶》、《亚瑟和黑暗王子》、《来自热带丛林的女孩》、"淘气包马小跳系列"一册、"小香咕新传"一册、"魔眼少女佩吉·苏"一册、"秦文君花香文集"一册

玩家提示

想征服斯坦的魔幻世界吗？想成为名副其实的勇士吗？来考查一下你的力量值？本批"鸡皮疙瘩系列丛书"中隐藏了水之力、冰之力、火之力、风之力、电之力、山之力、土之力等七种神奇的力量，只有具备了这七种力量，才能在"鸡皮疙瘩"的惊险旅程中行进得更远。勇士们，擦亮眼睛，来找出这七种神奇力量标志吧！

游戏指南

收集分散在七本书中的七个标志，寄到北京东城区东中街58号美惠大厦3单元1203室接力出版社"鸡皮疙瘩"编辑部，邮编100027，即可参加抽奖，本活动截止日期为2010年6月30日。

电之力 奖

神探赛斯惊险档案

13

噩梦连连

　　神探赛斯莫名其妙地站在街角咖啡店门口，约摸五分钟后，他走了进去。咖啡店内朦朦胧胧的，这让人感到惊讶。他向服务员要了一杯不加糖的浓咖啡，随后坐了下来。等服务员端来后，他随手拿起杯子，刚端到嘴边，谁知杯子把手忽然断裂，咖啡洒了一身……赛斯惊讶地从床上坐起来，哦，还好，原来是一个梦！

　　半个月之后的某一天，他约了某个重要客户。等他前往约会地点之后，发现街角有一家咖啡厅，他走进去，照例点了一杯不加糖的浓咖啡。怎料咖啡端上来时，服务员不小心洒了他一身……哎?!这和梦境怎么有些相似呀，他感到纳闷。

　　后来赛斯又做了一个梦，梦见自己在剧院里看戏，本来演出好好的，可没想到中途幕布竟然掉了下来，砸到舞台上——有趣的是，这个梦竟然也应验了，一周之后，他在百老汇某剧场观看演出的时候，也出现了类似的事件。

　　这下子赛斯有点不理解了，莫非自己的梦有某种预示作用？可随后而来的那个梦，就比较吓人了。

　　赛斯梦见自己在游乐场门口等人，突然，一辆大货车横冲直撞地朝着他呼啸而来。由于实在来不及躲闪，赛斯被车子

撞上，像断线的风筝一样飞了出去……呃……醒来后的赛斯喝
了杯酒，稳定了一下自己的情绪。这时候，手机响起，一位客
户熟悉的声音说道："赛斯老兄，有件事情麻烦你啊！不过电
话里不好说，请你到12区的游乐场门口等我好吗？"

Goosebumps

　　游乐场……哎呀，噩梦还在眼前挥之不去，赛斯该怎么办呢？

　　A. 该去就去，有什么了不起的！
　　B. 不要轻举妄动，最近的梦都比较准啊，至少不要约在游乐场门口，改约别的地方吧。
　　C. 哪里都不去了！梦也不是那么准的，谁知道约别的地方会不会被车撞？

　　解析：各位小读者，你们相信预知或者神秘的力量吗？本故事测试你们对待这种事物的态度。时下人们常说的词语，除了"郁闷"就是"倒霉"，一切事情不顺利都可以归于倒霉，为什么自己就那么倒霉呢？有的朋友认为有神秘力量存在，才导致自己最近运气不好。不过值得注意的是，目前科学研究，还没证明任何神秘力量的存在，请大家放心吧。A选项中的你，有些天不怕地不怕的意思，你才不信邪呢！B选项中的你，担心也是很好理解的，毕竟谁也不希望自己倒霉啊，换个约会地点也是解决办法。C选项中的你，有些担心过度啦，如果总是提心吊胆的，我们的行为就会受到无形的约束啊，希望大家注意。

小知识

已有的科学研究表明，梦是人类无意识的反应。无意识这个词不好理解，我们就用更通俗的话来解释吧——梦境是由你过去的生活点点滴滴形成的。由于大家还处在上学阶段，生活相对简单，主要是学校、家里的那点事儿，所以重复性也比较高，如果真像赛斯这样，梦境和现实有所重叠，也是不必惊慌的，因为事件就经常是重叠的呀。如果做了有趣的梦，可以拿出来和同学、朋友、家人分享；有些梦惊险刺激，那也没关系，就当是看了一场免费电影吧。不过需要注意的是，如果经常做噩梦，那可能是近期神经太过紧张，或是身体比较虚弱导致的。如果有这个问题，一定要及时告诉父母，商量解决办法，锻炼就是个不错的方法哟。

赛斯机密档案

姓名： 赛斯
年龄： $4 \times 9 \div 3 - 6 + 8 + 10$
基因： 变异基因
职业： 私家侦探
性格特点： 冷静、冷酷、冷峻
特殊喜好： 凌晨三点在路灯下
　　　　　　　看"鸡皮疙瘩"
被人崇拜程度： orz

本测试题由著名心理咨询师、原中央教育科学研究所心理研究员孙靖（笔名：艾西恩）设计，插图由著名插画家马冰峰绘画。

情报站

1995年 "鸡皮疙瘩系列丛书"改编成电视剧，在美国连续四年收视率第一

1995年 "鸡皮疙瘩主题乐园"落户美国迪斯尼乐园

1995年 R.L.斯坦获选美国《人物》周刊年度最有魅力人物

2003年 "鸡皮疙瘩系列丛书"被吉尼斯世界纪录大全评定为销量最大的儿童系列图书

2007年 R.L.斯坦获得美国惊险小说作家最高奖——银弹奖

2008年 "鸡皮疙瘩系列丛书"电影改编版权被美国哥伦比亚电影集团公司买断并将翻拍成好莱坞大片

桂图登字:20－2008－016

图书在版编目（CIP）数据

千万别睡着·爬虫召集令/（美）斯坦（Stine，R.L.）著；叶芊译.—南宁：接力出版社，2009.4

（鸡皮疙瘩系列丛书：升级版）

书名原文：Don't Go to Sleep·Calling All Creeps

ISBN 978-7-5448-0734-0

I.千… Ⅱ.①斯…②叶… Ⅲ.儿童文学-长篇小说-作品集-美国-现代 Ⅳ.I712.84

中国版本图书馆CIP数据核字（2009）第037452号

总策划：白 冰 黄 俭 黄集伟 郭树坤　　总校译：覃学岚
责任编辑：王 崇　　美术编辑：郭树坤 卢 强
责任校对：刘会乔　　责任监印：刘 签
版权联络：钱 俊　　媒介主理：常晓武 马 婕

社长：黄 俭　　总编辑：白 冰
出版发行：接力出版社
社址：广西南宁市园湖南路9号　　邮编：530022
电话：0771-5863339（发行部）　　010-65545240（发行部）
传真：0771-5863291（发行部）　　010-65545210（发行部）
网址：http://www.jielibeijing.com　http://www.jielibook.com
E-mail:jielipub@public.nn.gx.cn

印制：北京海淀区四季青印刷厂
开本：850毫米×1168毫米　　1 /32
印张：9　　字数：180千字
版次：2009年4月第1版　　印次：2010年3月第3次印刷
印数：60 001-80 000册
定价：18.00 元